TREIZE
est le quatre-vingt-quinzième ouvrage
publié chez
LANCTÔT ÉDITEUR
et le troisième de la collection
«Humour».

Treize

dans la même collection

Onze, nouvelles humoristiques et autres récits plaisants, 1997
Tout Deschamps, 1998

La collection « Humour »
est dirigée par
Louise Richer,
Pierre-Michel Tremblay
et François Avard pour
l'École nationale de l'humour,
3575, boul. Saint-Laurent, bureau 310,
Montréal (Québec) H2X 2T7

Treize

Nouvelles humoristiques
et autres récits plaisants

école
nationale
de l'humour

LANCTÔT
ÉDITEUR

LANCTÔT ÉDITEUR
1660 A, avenue Ducharme
Outremont (Québec)
H2V 1G7
Tél. : 270.6303
Téléc. : 273.9608
Adresse électronique : lanedit@total.net
Site internet : http : ww.total.net/~lanedit/

Illustrations :
Jean-Paul Eid

Maquette de la couverture :
Stéphane Gaulin

Mise en pages :
Folio infographie

Distribution :
Prologue
Tél. : (450) 434.0306 ou 1.800.363.3864
Téléc. : (450) 434.2627 ou 1.800.361.8088

Distribution en Europe :
Librairie du Québec
30, rue Gay-Lussac
75005 Paris
France
Téléc. : 43.54.39.15

Nous remercions le ministère du Patrimoine canadien et le Conseil des arts du Canada de l'aide accordée à notre programme de publication. Nous remercions également la SODEC, du ministère de la Culture et des Communications du Québec, de son soutien.

© LANCTÔT ÉDITEUR et l'École nationale de l'humour, 1999
Dépôt légal – 2ᵉ trimestre 1999
Bibliothèque nationale du Québec
ISBN 2-89485-101-4

MOT DE PRÉSENTATION

La tâche est chaque fois difficile : rédiger un petit mot de présentation qui ne portera pas ombrage aux textes qui le suivent. En clair, il faut dire « Bonne lecture ! » avec style mais pas trop, avec humour mais pas trop, avec classe mais pas trop.

Pas simple.

Alors, pour ne pas faillir à notre mission, nous avons simplement pensé vous souhaiter, amis lecteurs, bonne lecture. Comme ça. Bing. Sans flafla. Sèchement. Boum : bonne lecture. Ni tambour, ni trompette, ni feu d'artifice. Sans façon. Un maigrelet « bonne lecture ». Boboche. Sobre jusqu'à un impudique dépouillement. En somme, plate. D'une désinvolte médiocrité. Nous le dirions aux pompiers qu'ils nous arroseraient.

Bref : bonne lecture.

Sans chichi.

L'École nationale de l'humour

Jean-Paul Eid, illustrateur

Eid n'est pas une faute de frappe mais plutôt un auteur de BD qui a sévi dans *Safarir*, *Les débrouillards* et surtout *Croc* où ont été publiées «Les aventures de Jérôme Bigras», reprises dans les albums *Bungalopolis* et *On a marché sur mon gazon*. Aujourd'hui, il vit de ses rentes à l'abri des paparazzi sur une île du Pacifique qu'il compte acheter dès qu'il aura reçu le chèque pour sa collaboration à cet ouvrage.

ANDRÉ DUCHARME

Une journée dans la vie de Pitié Laroche

André Ducharme

André Ducharme a été le petit de Rock
et Belles Oreilles pendant de nombreuses années.
Il est maintenant le petit de lui-même.
Depuis 1995, il sévit à la radio quotidiennement, à la télé
hebdomadairement, et dans sa tête continuellement.

«DiNG!»

JE M'APPELLE PITIÉ... Pitié Laroche. Je sais que vous êtes en train de rire de moi. Mais c'est le nom que ma mère m'a choisi et ma mère a toujours raison.

En ce moment, je suis assis à la table de la cuisine, en train de manger le gruau que ma mère m'a préparé. Elle le fait cuire lentement, tous les matins, dans un chaudron car elle ne croit pas aux micro-ondes. Elle dit que les micro-ondes c'est comme des bibittes qui donnent du chaud au manger et du cancer à ceux qui mangent le manger chaud du micro-ondes. Alors moi je mange le bon gruau de chaudron. En faisant très attention de ne pas tremper les manches de mon pyjama en flanellette carreautée dans le bol. J'ai toujours aimé le gruau de maman sauf qu'il remplit toujours mes lunettes de buée. C'est dommage, car ce sont de belles lunettes à corne noire que ma mère m'a choisies.

J'ai trente-deux ans et il est cinq heures du matin. Je me lève tôt car je dois être bien prêt pour mon travail. Je suis assistant-gérant chez McDonald's et maman est très fière de moi. Assistant-gérant, ça veut dire que c'est moi qui passe la moppe et qui nettoie les toilettes quand monsieur Mohamed est là. Et quand il n'est pas là, c'est moi qui choisis celui qui passera la moppe et qui va nettoyer les toilettes. Et monsieur Mohamed n'est pas souvent au restaurant car il lui arrive régulièrement d'amener une des filles faire des tours dans sa voiture Mercedes.

Mais je ne m'occupe pas que du plancher et des toilettes. Depuis trois jours, c'est moi qui tourne les frites quand ça fait «bip-bip-bip». Il faut se dépêcher, sinon, elles ne sont pas bonnes, il faut les jeter et ça attire les mouettes. Maman dit que si je travaille bien et que je suis patient, un jour j'aurai mon McDonald's à moi ainsi qu'une Mercedes. Elle a raison.

Je marche jusqu'à l'autobus avec mon uniforme brun. Je ne marche pas trop vite parce que je n'aime pas beaucoup roter du gruau. Je me pratique à dire: «Bonjour, bienvenue chez McDonald's» chaque fois que je rencontre quelqu'un. Car le jour où je vais graduer aux caisses, je veux être beaucoup prêt. Alors je dis: «Bonjour, bienvenue chez McDonald's» en me rendant travailler et: «Un chausson avec ça?» en revenant de travailler. Ça va plutôt bien car jusqu'à présent je ne me suis pas encore mélangé dans les mots. Ça fait rire les gens que je rencontre mais, comme dit maman, le jour où je serai un gérant, ils ne riront plus. Et je les klaxonnerai avec ma Mercedes et ma caissière dans l'autre siège.

L'autobus de six heures dix passe toujours tout droit. Le chauffeur n'a sûrement pas bien appris son trajet car il ne sait pas encore qu'il y a un arrêt ici. Je lui fais pourtant signe tous les matins et il me répond en m'envoyant la main et en riant. Il doit penser qu'on est allés à l'école ensemble et se rappeler une blague que je lui avais racontée. Mais je ne lui ai pas raconté ma blague car on n'est pas allés à l'école ensemble. J'ai bien hâte qu'il arrête sur le coin à six heures dix car je vais le féliciter d'avoir appris son trajet. Peut-être demain.

J'embarque dans l'autobus de six heures et vingt. Ce n'est pas le même autobus qu'hier parce qu'au lieu des annonces de la Croix-Rouge, il y a des annonces de gomme. C'est mieux comme ça parce que j'aime mieux la gomme que le sang. Ils devraient toujours annoncer des choses qu'on aime.

Ce n'est pas le même autobus qu'hier et pourtant c'est la même madame qui le conduit. Ils doivent s'échanger les autobus des fois. Je ne sais pas pourquoi ils font ça parce que les chauffeuses, elles ne peuvent pas les lire les annonces parce qu'elles regardent les rues pour conduire.

Moi je regarde les annonces mais pas trop longtemps parce que je ne veux pas rater l'arrêt du McDonald's. Alors je regarde vite l'annonce de gomme et je regarde la rue après. Je regarde l'autre annonce de gomme vite et je regarde encore la rue après. Comme ça. Dans l'autobus, il y a des jeunes qui écoutent de la musique dans des walkmans. Je ne sais pas pourquoi ils se servent des walkmans parce que moi j'ai pas de walkman et j'entends très bien leur musique. Moi j'aime mieux la musique qui joue dans le tourne-disque de ma mère parce que c'est du Joselito. Ma mère dit que je ressemble à Joselito mais moi je trouve pas parce que j'ai des lunettes et que je suis assistant gérant chez McDonald's alors que Joselito, lui, il est en noir et blanc.

Quand j'arrive chez McDonald's, je joue toujours à « Quelle porte ? »... « Quelle porte ? », c'est mon jeu préféré et c'est Jean-François qui l'a inventé. Jean-François, c'est mon meilleur ami chez McDonald's. « Quelle porte ? », c'est un jeu super facile qu'il faut que je devine quelle porte est débarrée pour que je rentre dans le McDonald's. J'arrive par en avant alors j'essaie toujours la porte d'en avant en premier. Barrée. Jean-François est juste de l'autre côté de la vitre et il me fait signe d'aller par en arrière. Je cours pour aller à la porte d'en arrière. J'arrive à la porte d'en arrière. Barrée. Ce matin, ça prend huit coups et c'est la porte d'en avant qui gagne. Je suis essoufflé et tout mouillé dans mon costume de McDonald's, mais Jean-François est content car il rit beaucoup. J'aime ça quand il est content car c'est vraiment mon meilleur ami.

Mais je ne peux pas rester mouillé trop longtemps dans mon costume parce qu'il faut que je passe la moppe avant que les clients arrivent. Je l'ai passée hier avant de partir mais la poussière ça revient toujours sur les planchers pendant la nuit que monsieur Mohamed m'a dit. Les clients, ils apportent la poussière dans le restaurant avec leurs souliers et ils repartent avec notre nourriture. Moi, je mets la poussière dans une chaudière avec ma moppe et après je vais la porter dans la toilette. Et eux ils mettent la nourriture dans leurs toilettes aussi quand c'est fini.

Mon costume est séché et Jean-François ouvre la porte du restaurant pour les clients. Les clients, ils ne jouent pas à « Quelle porte ? ». C'est dommage, car ils aimeraient ça.

Les clients, le matin, ce sont des vieux et il faut que je fasse attention pour ne pas qu'ils tombent à cause de ma moppe. Mais c'est facile parce qu'ils marchent lentement et que j'ai le temps de me tasser. Les vieux, ils viennent chez McDonald's pour boire du café et je ne comprends pas parce que nos hamburgers sont tellement bons. En plus, notre café, il est sûrement trop chaud parce que ça leur prend plein de temps pour le boire. Mais j'aime ça parce que les vieux ils sont pas salissants pour le plancher, alors ça me laisse plein de temps pour me pratiquer à tourner les frites.

Je les tourne pas pour vrai parce qu'il n'y a pas de frites dans la machine à frites le matin. Mais je m'installe près de la machine, je fais semblant que je ne la regarde pas et tout d'un coup je crie : « Bip-bip-bip ! » très fort pour me faire une surprise. Là je me tourne vite vite, je prends le panier de frites par la poignée, je le retourne et je dis : « Yes !... » Jean-François, il me dit que j'en ai échappé une par terre et monsieur Mohamed, il rit... Je recommence jusqu'à temps que je n'échappe pas de frites mais c'est difficile parce que Jean-François il les voit toujours tomber. Jean-François c'est le meilleur parce qu'il n'a jamais échappé de frites dans toute sa vie.

Le midi, je travaille très très fort parce que c'est les étudiants. Ils échappent toujours tout par terre, mais je suis chanceux parce qu'ils échappent toujours leurs liqueurs juste quand je passe alors je ramasse tout de suite. Des fois, ils me crient qu'ils vont échapper quelque chose bientôt, alors je peux courir et arriver juste à temps, mais quand il y en a deux qui me crient en même temps, je ne peux rien faire. Le pire c'est quand ils échappent des enveloppes de ketchup et que je pile dessus et que ça fait sploutche. Là il faut que je me mette à quatre pattes pour nettoyer le plancher et il y en a qui échappent des glaces dans mes culottes.

Je suis toujours content quand ils s'en vont. Après, je peux nettoyer tout tranquille. Mais là je ne peux pas nettoyer tranquille parce que monsieur Mohamed il veut que je tourne les frites. Monsieur Mohamed il n'est pas content tout de suite parce que tantôt il parlait à Lucie. Elle pleurait et il lui parlait fort. Je pense qu'elle voulait aller dans sa Mercedes mais lui il n'a pas que ça à faire, faire faire des tours d'auto à des filles car c'est un gérant. Alors il lui a dit de ne plus travailler chez McDonald's et elle est partie.

C'est pour ça qu'il faut que je tourne les frites. Alors je cours vers la machine à frites pour ne pas qu'elle sonne avant que je sois rendu et je suis tellement énervé que quand ça fait «bip-bip-bip», je tourne trop vite et les frites tombent par terre. Monsieur Mohamed il est réellement fâché après moi même si je voulais pas faire un tour de Mercedes. Il donne des coups de pied dans les frites, il me prend par la main et il me ramène dans le restaurant à côté de ma moppe. Là il me dit : «Toi tu fais le ménage. C'est tout ce que tu sais faire le ménage alors tu fais le ménage alors je veux plus jamais que tu fasses autre chose que le ménage et si tu fais pas le ménage moi je vais le faire le ménage!» Moi je ne veux pas que monsieur Mohamed il fasse le ménage parce qu'il est trop occupé à être un gérant et à faire des tours d'auto.

Alors je fais du ménage partout partout vite vite vite... Je lave le plancher et les tables. Je lave les comptoirs. Je lave les machines mais je touche pas à la machine à frites. Je lave les fenêtres. Je lave les gros *M* dehors. Je lave les lavabos. Je lave les toilettes.

Il y a deux sortes de toilettes dans un McDonald's : les toilettes de monsieur et les toilettes de madame. Mais quand j'ai une moppe dans les mains, je peux entrer dans les toilettes de madame même quand je suis un monsieur. Et aujourd'hui dans une des toilettes de madame, il y a une madame toute nue qui fait pipi quand j'ouvre la porte pas barrée. Quand elle me voit en monsieur, elle se met à crier même si j'ai une moppe dans les mains. Je ne sais pas pourquoi elle crie parce que moi quand je fais pipi je parle pas mais elle, elle crie. Là, monsieur Mohamed il entre dans les toilettes des madames même s'il n'a pas de moppe et il est très fâché. Moi aussi je serais fâché s'il y avait une madame nue qui criait dans mon restaurant, mais monsieur Mohamed c'est vers moi qu'il est fâché. Et il me dit de m'en aller du McDonald's pour toujours idiot de stupide d'imbécile que je sais pas pourquoi je t'ai engagé que tu sais rien faire va-t'en que je t'ai dit et laisse la moppe ici va-t'en arrête de me regarder comme ça et va-t'en !

Je ne comprends pas mais je m'en vais pour toujours. Alors je pleure dans la rue parce que je ne pourrai plus jamais mettre mon uniforme brun pour laver du ketchup et tourner des frites. Même si je les ai pas tournées souvent. Et je ne pourrai plus jouer à « Quelle porte ? »...

La porte de l'autobus est brisée parce qu'elle se ferme juste quand il faut que j'embarque dedans alors je marche jusqu'à maman.

Ma maman me fait un chocolat chaud et me dit de pas pleurer parce que je pourrais devenir un gérant de Harvey's ou de Burger King. Elle a raison. Ou directeur de Dairy

Queen. C'est facile, j'ai juste à me pratiquer à tourner des cornets pour faire de la crème glacée pointue.

Je sais que je pourrais même devenir président de St-Hubert. Ça, je le sais depuis longtemps. C'est pour ça que ce soir, je m'en vais encore dans le sous-sol pour me pratiquer à tuer des poules.

PHILIPPE DAOUST

Bonheur total

Philippe Daoust

Taponneux ascendant pas vite, Phil est bien décidé
à recommencer sa vie tant que ça ne sera pas à son goût.
Malgré un passé en sourdine jonché de fausses notes, Phil, qui
a jadis arraché un diplôme de scripteur à l'École nationale de
l'humour, dispose d'un vaste assortiment de lendemains qui
chantent. D'ailleurs, une version douze pouces remix de son
plan de carrière, commise sous le pseudonyme de Red Pôvre,
devrait le catapulter vers les sommets de l'oubli le plus éclatant.
Soulagé à la pensée qu'un éventuel décès ralentira le flot
tumultueux et consternant de ses pensées, il se consacre, dans
l'intervalle, à ne pas trop y penser. Pour ce faire, il écrit des
bêtises pour la télévision. C'est pétri d'une émotion certaine
qu'il se retrouve ici propulsé dans la postérité littéraire.

△▽

DING!

— Qu'est-ce que tu vas faire avec ça?

— Avec quoi? avait-il répondu avec mauvaise foi.

— Fais-moi pas répéter! répéta-t-elle comme elle le répétait, tenace, depuis la nuit des noces.

— Tu parles-tu de la facture? lâcha-t-il en feignant un début d'amorce de commencement d'illumination.

Bon. Il n'était pas fin, elle pouvait hausser le ton.

— Ben oui, je parle de la facture! Ça fait une semaine qu'elle trône au milieu de la table. Qu'est-ce que tu vas faire avec ça?

La facture en question était un huitième et dernier préavis final et définitif aux armoiries d'Hydro. Et évidemment, ce n'était pas une facture de tapette: on se tenait dans les trois chiffres. Dans la cuisine exiguë, y avait apparence d'orage. Plutôt que de se mouiller, Rémi opta pour un silence indifférent.

— Rémi, je t'ai posé une question, glapit-elle en syllabes détachées.

Les enchères vocales étant ouvertes, Rémi avait parfaitement le droit de dire n'importe quoi d'insignifiant du moment qu'il le fasse monté sur un grand cheval. Il répliqua sec, comme un vieux pro:

— Qu'ossé tu veux que j'fasse? Tu le sais autant que moi que j'ai pas une crisse de cenne!

— Non, je l'sais pas autant que toi. Dis-moi donc exactement combien que t'en as pas de crisse de cennes?

Jôwanne avait superbement déjoué les défenseurs et se présentait seule devant un Rémi au style papillons dans l'estomac.

— De... de qu'ossé que t'essayes de... d'essayer de dire, au juste ? s'enfargea-t-il dans ses patins.

Elle snappa :

— T'as reçu un chèque hier matin, je l'ai vu de mes yeux vu, hier matin. Huit cent soixante-dix-huit dollars et trente-quatre cennes !

La lumière rouge s'était allumée. Le dommage scoré. Dans l'ordre des choses, il tenta de briser son bâton :

— Calvaire, tu lis mon courrier ! Y a toujours ben un boutte ! Si un gars a pus de vie privée maintenant !

— L'enveloppe était décollée pis le chèque essayait de sortir. Pour moi, y savait ce qui l'attendait.

Rémi voulut beugler son indignation. Ça faisait vraiment plus mal que d'habitude. Il fallait lâcher le livre et improviser.

— Calvaire, un gars en a assez entendu pour comprendre qu'il s'est fait une idée ! Sais-tu c'que j'm'en vas te dire, ma belle Jôwanne de mon cœur en or ? Hein, tu l'sais-tu ?

— Un grosse menterie tellement grosse que j'sais ben pas où qu'on va la mettre !

— Tu veux toute savoir, ça fait que tu vas toute savoir : j'm'en vais rester avec une autre fille ! Han, qu'est-ce que tu dis de ça, han ? Han ?

Jôwanne ne disait rien. Elle était soufflée. Depuis des années qu'ils pratiquaient quotidiennement le libre-échange de bêtises, jamais il n'avait invoqué l'autre sexe. La boisson, les chums, le casino et *tutti quanti*, mais jamais il n'avait fait comparaître la Rivale avec un grand *R* à la barre des alibis. Rémi sentait que ça ne se passait pas comme d'habitude et qu'il avait le vent dans le dos. Exalté par le K.O. possible — un événement dont il avait entendu parler par des chums et qu'il avait vu aux vues —, il céda complètement la parole au Rémi nouveau qui prenait le plancher dans la cuisine de l'appartement 43.

— Je l'aime pis je m'en vais la rejoindre. Autrement dit, la clétac de facture, c'est pus mon problème parce qu'autrement dit j'reste pus icitte. Salut!

Il se dressa et, drapé dans une dignité flambant neuve, il vira solennellement de bord pour sortir par en arrière parce que c'était la porte la plus proche. Dans sa tête, Claude Mouton entonnait: «La première étoile, the first star... Rémi... LALUMIÈRE.» Son triomphe était total. Il était les Américains dans le Golfe. Le Swchartzkpof de l'appartement 43. Maintenant, il fallait vraiment trouver une autre fille, c'était grisant. En franchissant le pas de porte, il commençait une nouvelle vie et c'est bien malgré lui qu'il lui fallut l'interrompre.

Il s'étendit de tout son long, se pétant, chemin faisant, la margoulette et la chevillette, verrat! Mais ce qui faisait le plus mal, c'était le marteau à steak que Jôwanne avait lancé avec une précision olympique (mais surtout à bout de bras) vers sa boîte crânienne.

Le corps de Rémi tressaillit une dernière fois. Émue, Jôwanne termina son muffin et pensa: «À part de ça, "clétac", c'tait même pas un vrai sacre.» Puis, elle s'extirpa de sa chaise et rentra son «ex» dans la cuisine en le tirant par les pieds avant que les voisins ne remarquent quelque chose de louche ou encore le marteau à steak. Elle entreposa le Rémi dans le bain en lui accrochant un petit sapin sent-bon dans le cou. «Y devrait pas sentir trop méchant d'ici le souper», pensa-t-elle. Finalement, elle passa un petit coup de moppe avant d'enfiler la porte d'escampette. Elle était un peu nerveuse, car elle se rendait à son premier atelier de parcours vers l'emploi.

Quelques mois plus tard...

— Non coupable !

Ça y est, Jérôme l'avait dit. Les regards des onze autres jurés convergèrent vers lui. Dans cette pièce où ils étaient reclus depuis trente minutes, il vivait les moments les plus exaltants de son existence. Il n'avait que huit ans la première fois qu'il avait vu *Douze hommes en colère* mais, ce soir-là, lorsque sa mère l'envoya se coucher, Jérôme Blanchette était devenu Henry Fonda. Aujourd'hui, trente ans plus tard, il ne mesurait que cinq pieds trois pouces. Il pesait aussi cent soixante-quinze mais qu'importe, il avait pratiqué partout son numéro d'empêcheur de tourner en rond avec une farouche application : au conseil étudiant, au syndicat, aux partys de famille élargis et surtout là où il mesurait un peu moins cinq pieds trois pouces qu'ailleurs : les lignes ouvertes radiophoniques. Jamais il n'était d'accord. Toujours, il introduisait le doute, cultivait le « par contre... », ensemençait le « d'un autre côté... », comme d'autres carburent au « tabarnak » pour obtenir gain de cause.

Monsieur Côté, par exemple :

— Tabarnak, c'est quoi votre problème, tabarnak ? de lâcher prestement le plus preste des onze autres jurés. Les empreintes étaient sur le marteau pis sur le sapin sent-bon, tabarnak !

Le juré numéro trois prit le relais :

— Le gars du centre d'emploi a été catégorique : cet après-midi-là, il y avait du sang sur les vêtements de Jôwanne.

Le numéro six ajouta :

— Elle a avoué sans sourciller : « J'aurais dû lancer c'te marteau-là depuis longtemps. »

Aucune de ces interventions ne décoiffa d'un poil le Jérôme.

— Je ne dis pas qu'elle n'est pas coupable, je dis que je ne suis pas sûr qu'elle le soit. Nuance.

Il fit une pause pour que ça pénètre bien dans l'esprit de ses collègues.

— Je sais qu'il faut l'unanimité pour prononcer un verdict, mais je vous rappelle que le sort d'un être humain est entre nos mains. Et je crois en mon âme et conscience que certains détails ne collent pas. Par exemple, prenons le cas du voisin d'en bas qui dit avoir tout entendu. J'ai remarqué, lors de son témoignage, qu'il portait une prothèse auditive. Le juge a dû le nommer trois fois avant qu'il ne se lève. En fait, jusqu'à temps qu'il ajuste son appareil.

Quelques jurés tâtèrent du « Ah oui, c'est vrai ! » Jérôme continuait :

— Je me demande sérieusement s'il porte cette prothèse lorsqu'il est seul chez lui. Or il disait être en train d'écouter Gilles Proulx à la radio au moment du meurtre. La question se pose : a-t-on vraiment besoin d'un appareil pour bien entendre Gilles Proulx ?

Jérôme allait entrer plus à fond dans les détails comme on entre en religion quand, à ce moment précis, il reçut justement un appel d'une force supérieure. Sur son cellulaire, apparaissait le trop familier numéro. Il s'excusa auprès des autres et baissa le ton un peu.

— Maman, je ne peux pas te parler pour le moment, je suis en délibération avec le jury... Ben oui, je t'en ai parlé, tu sais, la femme qui a tué son ami avec le marteau à steak dans la cuisine ?... Écoute, dès qu'on a un verdict, tu vas être la première à le savoir.

Les onze autres le dévisageaient durement. Il baissa le ton davantage.

— Ben, peut-être la deuxième... Écoute, pourquoi tu viens pas assister au jugement, ça te ferait prendre l'air, voir du nouveau monde. Inquiète-toi pas pour tes jambes, c'est plein d'ascenseurs ici. O.K. ? Je te rappelle. Bye.

Le roi du « Oui mais... » demeurait à deux rues de chez sa maternelle qui vivait dans un trois et demi avec un chien qui jappait après les mouches. Jérôme, lui, restait dans un demi sous-sol avec vue sur les mollets de ceux qui attendaient le 45 Papineau. Il n'avait aucun ami, pas de blonde et avait commencé à la Ville en tant que commis grade 1 mais n'avait jamais pu atteindre les deux chiffres. Ce n'était pas aux tests qu'il échouait, c'était aux entrevues. Il y a des moments dans la vie où il faut savoir se contenter de l'avant-dernier mot. Mais Jérôme Blanchette ne mangeait pas de ce pain-là. Et surtout pas aujourd'hui.

— À part ça, Jôwanne a peut-être avoué pour protéger son Rémi, pour ne pas entacher la réputation du seul homme qui ait jamais compté dans sa vie. N'oublions pas qu'elle sortait avec lui depuis la 3e année B. D'un autre côté, Rémi avait des dettes de jeu et tous les jours dans les yeux de sa douce il pouvait mesurer le mal qu'il lui infligeait. Car elle n'était pas dupe. Il a peut-être décidé d'en finir en se sacrant lui-même un coup de marteau à steak.

— Pis les empreintes ? C'était pas les empreintes de Rémi qui étaient sur le marteau, c'était celles de Jôwanne ! objecta le juré numéro cinq.

— Très bonne observation. Mais, d'un autre côté, quand ils brassent de sombres projets pendant des semaines, même les plus grands criminels commettent toujours une petite erreur. Non messieurs, au moment où il se donnait la mort, Rémi Lalumière avait tout simplement oublié d'enlever ses mitaines, laissant sur le marteau à steak les empreintes de la seule personne qui faisait à manger dans l'appartement 43, je parle de...

— De Jôwanne ! s'exclama le numéro onze, tout heureux de pouvoir s'introduire dans le débat grâce à cette perche de vingt pieds.

Le numéro douze s'étonna :

— Mais, à aucun moment du procès, il n'a été question de mitaines !

— Oui, mais si vous aviez été à la place de Jôwanne, pour ne pas inculper votre amant, quelle est la première chose que vous auriez fait disparaître en découvrant le corps ?

— Heeeeuuu, les mitaines ?

— C'est exactement ce que je pense, moi aussi ! Ce n'est pas pour rien que personne n'a parlé des mitaines : à ce jour, elles n'ont toujours pas été retrouvées. Dieu seul et Jôwanne savent où elles se trouvent. En fait, je pense que la triste histoire d'amour que vivaient Rémi et Jôwanne ne puisse trouver de dénouement aussi pathétique que chez les Roméo et Juliette de Shakespeare.

Soixante-treize heures plus tard, Côté, le tabarnak, seul juré à ne pas avoir viré son chapeau de bord, se répandait en larmes et confessait que sa mère lui avait déjà garroché un marteau à steak quand il était petit et que ça l'avait beaucoup marqué. Même que tout le monde riait de lui dans la cour d'école tabarnak à cause de son nez cassé tabarnak et que, depuis ce jour maudit, il maudissait, sniff, il maudissait...

— Sa mère ! coupa Jérôme en prenant les dix autres à témoin et en manches de chemise.

C'est qu'il faisait chaud comme ça se peut pus dans cette salle-là.

— Messieurs, c'est sa mère que notre pauvre collègue cherche à condamner depuis le début et non la pauvre Jôwanne. Pour ma part, je crois bien que tout a été dit.

— Pas tout à fait ! lâcha le numéro onze en empoignant Côté par le collet. Ça fait que votes-tu comme nous autres, qu'on puisse sortir d'ici et aller se laver ?

La plupart des hommes en ti-corps grognèrent d'acquiescement. Côté, lessivé par le cri primal qu'il venait de pousser par césarienne, laissa filtrer entre deux reniflements un «non coupable» à peine audible. Jérôme souriait, son triomphe était total. Il était les Américains dans le Golfe, le Schwartzkopf du procès Jôwanne Guindon.

Un autre mois plus tard....

— C'est de la chemise que vous avez sur le dos, monsieur Jérôme.

Il regrettait d'avoir mis cette chemise à motifs en reliefs. C'était un genre d'aveu indiquant que, pour lui, ce rendez-vous n'était pas aussi innocent qu'il n'y paraissait. Jôwanne, ignorant le tourment intérieur qui sévissait chez son prospect, en rajouta une couche en s'engouffrant dans la banquette d'en face :

— C'est-tu rapport au fait que c'est moi qui vous a invité ?

Jérôme ne disait rien. Il était soufflé. Pendant tout le procès, il l'avait eue sous les yeux sans jamais penser à mal. Et là, il haletait. Était-ce trente-huit ans d'abstinence ? Le parfum musclé et ratoureux de Jôwanne ? Les odeurs du four à bois ? Tout s'emmêlait dans sa tête qui commençait à tourner. Jôwanne enchaînait :

— Je vous ai remarqué le premier jour du procès. Non, c'est pas vrai, le deuxième jour. À moins que... en tout cas, c'est pas grave, ce qui compte c'est que vous m'avez frappée avec votre complet blanc. Mais, surtout, ce qui m'a eue, c'est que vous disiez rien.

— Par contre, les onze autres jurés non plus, vous savez, avança-t-il un peu de reculons.

— Oui, mais pas autant que vous. Vous aviez tellement l'air d'écouter tout ce qui se disait. J'avais jamais vu ça un homme écouter comme vous. Pareil comme là, vous me faites rougir tellement que vous m'écoutez bien.

Jérôme était à découvert en terrain inconnu. Consé-quemment, un frisson lui dévala l'échine en même temps qu'absolument aucune pensée ne s'organisait dans son cer-veau. Enchâssé dans les profondeurs du code génétique de l'humanité et activé par ses neurotransmetteurs, un sourire épais remonta dans sa face et la lui sauva un peu. Jôwanne apprécia en roucoulant et continua, la fourchette fourrageant dans le coleslaw de courtoisie:

— Pis le jour du jugement, vous aviez l'air tellement heureux quand vous vous êtes levé en disant «non coupable» qu'on aurait dit que c'était vous qui étiez un innocent!

Aucune femme ne lui avait jamais dit ces mots-là. Il était dans tous ses émois et se sentait mâle. Son pouls put redes-cendre un peu lorsque le serveur changea le sujet, le temps de conseiller le spaghetti à la viande fumée après une césar qui ferait passer les escargots. La bière était comprise dans le spécial. Jérôme, plutôt absent de tout le processus de déci-sion, se ressaisit juste comme le garçon allait s'éloigner. Dans le double but d'être galant et de montrer qu'il portait des culottes, il commanda deux cinzanos rouges. Il improvisa un «doubles!» pour achever son effet et c'est, en effet, ce qui, un peu plus tard, allait l'achever. Mais Jôwanne reclenchait:

— Le lendemain du procès, je suis tombée par hasard sur un autre monsieur qui était dans le jury. Il m'a expliqué en deux trois mots à quel point vous avez pesé en ma faveur. Il m'a raconté tout ce qui m'était passé par la tête pendant le meurtre, s'cusez-moi, le suicide de Rémi. C'est rien qu'au-jourd'hui que je me rends compte à quel point j'étais pas toute là.

Elle était plus que conquise par cet homme qui ne l'in-terrompait pas et qui avait un emploi stable. Elle suivait un plan de match instinctif qui les mènerait éventuelle-ment tourterer aux chutes Niagara. Après le sundae au butterscotch, elle passa au tutoiement en se rendant à la caisse où l'attendaient les papermannes rose et jaune.

— C'est moi qui paye, c'est le moins que je pourrais faire pour vous... pour te — vous permettez que je te dise « tu » ? — pour te remercier. En plus, je vous, voyons, excusez-moi, je t'ai invité. Pis ça me prend des reçus pour l'impôt, rajouta-t-elle pour le mettre bien à l'aise.

Mais, à ce chapitre bien précis, il était trop tard, l'apéritif du début portant déjà sa cause en appel. Dans une perspective plus large, il l'avait sauvée de la chaise et elle lui passait la corde au cou. Leur bonheur était total. D'un autre côté, ni l'un ni l'autre ne pouvait savoir qu'ils venaient de pogner vingt ans ferme.

Deux cent quarante mois plus tard....

Il regardait le couteau à pain qui zignait encore dans le gyproc. Le couteau était planté là où se trouvaient ses omoplates avant qu'il ne se penche pour ramasser le clou qui était tombé. Il déposa son marteau sur la table de cuisine et regarda Jôwanne, interdit. Il en avait oublié ce qu'il allait répliquer et même le sujet de la chicane. Jôwanne patinait.

— Ben quoi, y a rien là ! J'ai pompé pis... ça m'a parti des mains tout seul. C'est de ta faute aussi, tu passes ton temps à m'étriver, à picosser pis à taponner...

Elle sentait que ce n'était pas suffisant et changea de tactique en sortant le gun de la culpabilité.

— Eille, Jérôme Blanchette, tu vas pas t'imaginer des affaires, j'espère ?

Un ange passa en prenant son temps.

Jérôme n'imaginait rien mais il commençait à faire 2 + 2. Il se rappelait ce que Jôwanne avait dit à la mort de sa mère : « Écoute ben, Jérôme, ta mère, était finie pis elle me rendait folle. Elle critiquait tout ce que je faisais ! C'est ben simple, si elle avait pas manqué une marche, j'pense que je l'aurais aidée. »

« Je pense que je l'aurais aidée. » Ces mots résonnaient dans sa tête. Puis il remonta vingt ans en arrière et le procès de Jôwanne lui revint en mémoire. Lui, il n'avait fait que jouer le rôle de toute une vie et, tout entier consacré à sa propre performance d'Henry Fonda, pas une milliseconde il n'avait envisagé que cette femme eût pu être une assassin.

— Jérôme ! Dis de quoi, ça m'énerve de te voir rien dire de même !

Jérôme ne disait rien. Il venait de prendre une décision. Et pour la première fois depuis vingt ans, il se sentait excité par quelque chose. Un procès... Mais oui ! Ce serait son procès, wow ! Il assurerait sa propre défense. Oh que oui, que oui, que oui ! Fébrile, il quitta la cuisine et emprunta le couloir pour aller quérir ses mitaines qui se tenaient avec sa tuque et son foulard dans l'entrée à l'autre bout de l'appartement. C'était élémentaire, il ne fallait pas laisser d'empreintes.

— Jôwanne, faut que je sorte ! mentit-il. T'as-tu vu mes mitaines ?

— Sont ici, tes mitaines ! beugla Jôwanne de la cuisine.

Jérôme se retourna.

Les plus grands criminels font toujours une petite erreur, mais les débutants ne sont pas mieux. Il s'étendit de tout son long dans le passage, le marteau dans le front et les yeux grand ouverts alors qu'il aurait dû en laisser au moins un sur sa tendre moitié. Au bout du couloir, bien assise dans la cuisine, Jôwanne soupira. « J'haïs ça quand quelqu'un me répond pas, j'haïs ça ! » Pour se calmer, elle retira une des mitaines de Jérôme et plongea la main dans le bol à pop corn.

Mais elle eut aussitôt un remords, rapport à son cholestérol.

BRUNO BLANCHET

La théorie du chaos
ou
Un papillon qui bat des ailes
à Sainte-Adèle peut causer
un raz-de-marée en Corée

Bruno Blanchet

D'aussi longtemps que je le connaisse, Bruno Blanchet adore
parler de bouzouki. Comme on aime parler de la pluie et du
beau temps. Rares sont les discussions où il n'ait pas glissé le
mot bouzouki. Parfois pour appuyer son propos, mais surtout...
pour rien. Pour l'entendre dire. Pour la gamme incroyable
d'intentions qu'il peut prêter à ce mot. Pour voir la surprise
apparaître sur le visage de son interlocuteur. Par contre, Bruno
Blanchet ne vous l'avouera jamais, mais il ne sait pas jouer du
bouzouki. Même que Bruno Blanchet ne sait pas ce qu'est un
bouzouki. D'ailleurs, il ne sait pas si on dit un bouzouki ou une
bouzouki. Parce que, au fond, Bruno Blanchet ne sait pas si ça
« existe », du bouzouki. Il n'a jamais vu s'en jouer. Pas plus qu'il
n'en a vu se danser, se fumer ni se manger. Peu importe. Il
pourrait vous entretenir sur le bouzouki pendant des heures.
En faire une musique, une légende, un pays. Ou un soulier,
une prise de lutte, un vétérinaire dalmatien, un club gai,
un despote d'Espagne, une sauce à spagatte, trois ti-pits,
deux gros gars et une onomatopée. Pour tout vous dire,
Bouzouki sera sûrement aussi le titre de son autobiographie.
Car Bruno Blanchet ne sait pas parler de lui.

IL ÉTAIT UNE FOIS un gars tout nu. Plutôt normalement constitué, pas mal gentil, un peu poilu et sourd-muet. En général très discret. Sauf exceptions. Mais toujours malgré lui. D'une propreté irréprochable, d'une politesse exemplaire et d'une galanterie jamais feinte, à défaut de porter du Armani, le gars tout nu « vivait » en finesse. Il ne manquait jamais de faire l'effort supplémentaire pour plaire. Ou pour ne pas déplaire. Mais, comme tout être humain, il arrivait qu'il ferme malencontreusement une porte en la claquant à cause du vent et que le bruit réveille un voisin ; il arrivait aussi qu'il doive gagner son siège au milieu de l'allée au théâtre, alors que tous étaient déjà assis et une fois, même, il arriva qu'il se fasse une copine et que vienne le temps pour elle de le présenter à sa mère. Dans ce cas bien précis, vous conviendrez qu'un gars tout nu a beau afficher le plus sympathique des sourires et être animé des meilleures intentions du monde, il y a de ces détails qui demeurent difficiles à cacher à une maman. On aurait beau essayer d'aborder le problème de mille façons différentes, de répéter la scène pendant des heures en esquissant tous les scénarios possibles et imaginables, la maman ne lui verra inévitablement, et toujours en premier lieu, que la bizoune.

Ce récit est inspiré d'une telle rencontre et tend à démontrer à quel point une pauvre petite quéquette à l'air peut causer des remous... Reprenons du début.

Il était une fois un gars tout nu. Plutôt normalement constitué, pas mal gentil, un peu poilu et sourd-muet. Jamais il n'avait eu de copine auparavant. Mais voilà que depuis deux mois, il fréquentait cette jeune inconnue. Qu'il aimait. Éperdument. Depuis le premier jour. Même que, sans mentir, il pouvait affirmer avec preuve à l'appui qu'elle correspondait en tout point à celle dont il avait toujours rêvé. En effet, c'était une jeune secrétaire ambitieuse, rousse aux yeux verts, atteinte d'un léger strabisme, qui portait souvent des tailleurs et des talons hauts comme les filles dans *Sténographes à tout faire*, un film pornographique qui lui procura, jadis, des heures de plaisir. Mais cela, il ne le lui avait pas avoué. Il se disait, par des signes correspondant aux mots en langage sourd-muet dans sa tête, que c'était peut-être mieux ainsi. Du moins, pour l'instant. Dans un couple, il faut savoir se réserver des surprises et, lui, se promettait de lui dévoiler la sienne au moment opportun. À Noël? La petite lumière rouge de son réveille-matin le tira de sa rêverie matinale. Il éteignit la sonnerie, se gratta le sac, embrassa sa douce et se rendit à la cuisine. Tout ça sans faire de bruit. Il allait préparer le petit-déjeuner.

Un peu plus tard, la jeune fille, qui avait passé un tailleur et s'était assise au pied du lit pour enfiler ses talons hauts, se redressa brusquement avant d'attacher son soulier gauche. Elle se tenait là, le cou raidi et les poings serrés, à regarder fixement droit devant elle, ce qui lui conférait, à cause de son œil croche, l'air sérieux d'un gamin qui essaye très fort de se souvenir d'une joke de pet. En fait, elle venait de prendre une grande décision. Elle allait affronter son destin. Aujourd'hui. Cet après-midi. Et rien ne pouvait plus l'arrêter. Rien. Elle était en amour et, au réveil, en ouvrant les yeux, elle avait aperçu... les siens. Tendres et ardents à la fois, ils lui disaient tous les «je t'aime» et brûlaient d'une telle passion qu'elle n'en pouvait plus de la garder pour elle. Elle débordait de soleil. Voulait l'offrir. Le partager. Des mots magiques résonnaient dans son cœur. *Here and now. Sky is the limit. You can do it.* Elle était parfaitement heureuse. Sans même comprendre pourquoi. À quoi bon. Elle avait touché le centre de la cible. De l'univers. En une fraction de seconde, elle avait atteint l'ultime limpidité. Avec la simplicité d'un accident. La beauté d'une étincelle jaillie ici du quotidien qui allumerait tous les feux d'artifice en Chine. Alors que, pour son amoureux, il s'agissait là d'un matin comme les autres, où il s'était simplement penché sur elle pour la réveiller gentiment avec, dans les mains, sur un plateau garni de fleurs, l'habituelle assiette de fruits merveilleux, le croissant fumant frais du jour, le saumon fumé en forme de cœur, le café au lait à la mousse admirablement onctueuse et son journal favori ouvert à la page de l'horoscope. Elle eut l'envie irrépressible de crier au monde entier son amour pour lui. Il n'en fallait pas plus : elle allait le présenter à sa mère.

Ses parents habitaient depuis quelques années un magnifique petit chalet dans les Laurentides qu'ils avaient décidé de convertir en maison de campagne le jour où le paternel prit sa retraite. Sis au sommet d'une colline qui glissait doucement jusqu'à un lac presque vierge, c'était l'endroit rêvé pour un repos bien mérité. Car il avait travaillé fort, le vieux Émile... Durant toute une vie à bâtir des gratte-ciel au centre-ville, par moins quarante, à la pluie battante ou sous un soleil de plomb, il n'avait raté qu'une seule journée de travail. Et il n'en était pas fier. Lui qui ne jurait que par rigueur, ponctualité et assiduité préférait taire cet unique manquement à l'appel, la fois qu' un confrère maladroit qui manipulait pour la première fois un fusil à clous lui en planta un de quatre pouces dans le cul. C'était ça, le père. Un beau personnage. Aujourd'hui, malheureusement, il s'était absenté de la maison.

Comme l'action allait se dérouler en plein mois de juin et que les maringouins sont plutôt voraces en cette saison, la jeune femme prit la précaution d'apporter pour elle et son petit ami une bouteille d'huile à la citronnelle. Surtout pour lui. Mais elle lui fit signe qu'il allait s'en appliquer une fois arrivé sur place, pour ne pas tacher le siège de la voiture.

Sur le pas de la porte de la demeure familiale, elle vit tout d'abord à ce que son amoureux soit bien huilé, puis ajusta nerveusement le col de son tailleur, inspira un grand coup et cogna.

Sa mère gossa un moment avec les nombreuses serrures avant de trouver la combinaison parfaite pour ouvrir la porte — toutes débarrées —, ce qui fit grimper la tension au maximum. Clic. Clic clac. Clic clic. Clac. Clic clac. Au moment précis où la jeune femme avait changé d'idée et allait pousser son chum en bas de la colline et se sauver en courant, la fameuse porte s'entrouvrit. Le visage de la mère étonnée apparut dans l'entrebâillement.

— Diane? Qu'est-ce tu fais ici?

Rassurée, la maman ouvrit grand et aperçut, par la même occasion, le gars tout nu qui accompagnait sa fille.

— Maman, je te présente mon nouveau chum, y est sourd-muet, lui lança précipitamment la jeune fille qui voyait bien à l'air surpris de sa mère qu'elle avait vu.

Le souffle coupé, la maman eut un réflexe naturel de maman, c'est-à-dire qu'elle pensa à tout le monde avant de penser à elle :

— Ah! Une chance qu'y fait beau... Tu t'es fait couper les cheveux... Ton père est au baseball, bouscula-t-elle.

— Tu vas voir, y est ben gentil, ajouta aussitôt la fille, confiante d'avoir enfin brisé la glace.

Trop tard. La mère venait de retrouver sa lucidité.

— En tout cas, en attendant, y est tout nu! fit-elle remarquer, choquée.

— Maman! Franchement! chuchota rageusement Diane.

— Franchement quoi? s'éberlua la vieille. Tu me présentes ton ami pis y est tout nu!

Tu le juges pis tu le connais même pas! s'écria la fille en saisissant la main de son amoureux qui s'efforçait de sourire malgré les maringouins qui lui tournaient autour des testicules (la seule partie de son corps qu'il avait oublié de citronner. Maintenant, il était un peu tard...).

— Je le juge pas, y a la zoune à l'air, bâtard! insista la maman qui, malgré l'âge, avait toujours conservé un excellent sens de l'observation doublé d'une logique implacable.

La jeune fille baissa les yeux et retint sa respiration jusqu'à ce qu'une larme vienne mouiller ses lèvres. Le vieux truc de « j'ai-de-la-peine-aie-pitié » qu'elle avait appris à six ans et qu'elle utilisait outrageusement depuis, allant même jusqu'à se le jouer devant le miroir certains soirs pour ne pas se brosser les dents. Il n'y avait pas là matière à tromper la mater. Mais, en désespoir de cause, c'était comme un réflexe. Un automatisme. Son coup de marteau sur le genou. Son coup de grisou sur le cœur.

— Bon, encore la grande mise en scène de braillage! soupira la mère pour elle-même, connaissant sa fille comme le fond de sa sacoche.

— Maman, s'il te plaît, fais attention à ce que tu dis devant lui, murmura, éplorée, la Diane en faisant des ballounes. Il est peut-être sourd, mais il très sensible... et il lit sur les lèvres, précisa-t-elle, vicieuse, pensant marquer un point.

Mais la vieille, offensée de s'être bassement fait servir encore une fois le « j'ai-de-la-peine-aie-pitié », considérait plutôt ce dernier détail comme une aubaine, dans les circonstances. Elle allait enfin pouvoir fesser drette dans le sourd-muet. Le plan de match était simple: il fallait rester calme et faire mine de rien pour faire flèche de tout bois. Elle passa doucement à l'attaque :

— Ah ! Vous êtes ventriloque ! compatit-elle avec le pauvre garçon.

Il sourit. Elle sourit. Il se détendit légèrement et sourit de plus belle. C'était le moment. Elle lui en péta une dans les dents.

— Excusez-moi, mais j'pensais que vous étiez tout nu ! » balança alors sèchement la mère au menton de l'indésirable.

S'ensuivit forcément un silence lourd de fin de parenthèse. Une réflexion intense ponctuée seulement d'un bizzzement de moustiques autour d'un scrotum... Même le ciel se couvrait, *on cue*, comme au cinéma...

La fille, à qui devait naturellement revenir le service, hésita un temps à s'emparer de la balle. Quelque chose clochait. Certes, le dernier coup de maman avait tout d'un excellent punch *right on the nose* — pieds solidement ancrés au sol, attente patiente d'une ouverture, bon balancement de poids et swing parfait —, sauf qu'il n'en avait pas l'impact. Plutôt que de mettre K.-O., il laissait pantois. Elle avait senti une faiblesse en fin de parcours, un déséquilibre, mais ne pouvait le définir. Sagement, elle choisit de se replier en défensive pour repasser le film des événements. « Hmmm... Rewindons... Donc, bien sûr qu'il est tout nu... Hmmm... Un ventriloque... Hmmm... Lit sur les lèvres... Oh ! » Triomphante, elle fit craquer bruyamment ses jointures, les nuages se dissipèrent et, sans crier gare, la jeune femme en profita pour porter un sournois uppercut au plexus solaire :

— Un ventriloque ! Maman, tu fais dur ! J't'ai dit qu'il lisait sur les lèvres, pas sur les ventres ! répliqua fièrement la fille à sa maman au bout d'une minute de sourde torture.

L'effet fut instantané. Frappée sous la ceinture, la mère, insultée, aussitôt en vit noir. Ce qui permit au gars tout nu de se gratter la poche. Mais il fallait faire vite, la vieille reprenait rapidement son souffle. Ce qu'elle fit.

— Change de ton avec ta mère, Diane Kotkowsky, je sais très bien ce que c'est qu'un ventriloque! répliqua-t-elle sans réfléchir. Mais là, j'peux pas y regarder la face sans y voir la graine pis ça m'énarve, bonyeu, je sais plus c'que j'dis! laissa tomber la mère, ébranlée.

Les bras ballants, les paumes bien en vue, maman exposait enfin sa vulnérabilité... Pouvait maintenant s'amorcer la phase deux du processus de séduction.

— Calme-toi maman, fit la Diane, doucereuse. Tu vas voir, on s'habitue vite...

La mère jeta un œil sur le gars tout nu. Un seul. Car, comme pour sa fille, l'autre s'en crissait complètement. La Diane avait de qui tenir. D'ailleurs, il est dit que la mère de sa mère avait les yeux tellement croches que pendant toute sa vie elle chaussa ses souliers complètement à l'envers: le gauche à droite, le droit à gauche, et les orteils dans le talon. Elle fut sans doute une des rares femmes de l'histoire de l'homme, sinon la seule, à être plus grande en pieds de bas qu'en talons hauts. Détail que son mari ne remarqua qu'après soixante ans de mariage en regardant le film *Sténographes à tout faire*. Que voulez-vous, c'est ça l'amour. Mais, malheureusement, il ne put en tirer profit, car elle décéda de mort subite le jour même où il voulut l'inscrire au Guiness.

Or donc, la mère jeta un œil sur le gars tout nu.

— Ah bon... Parce qu'il est toujours habillé de même, j'suppose... hasarda-t-elle mollement, une tentative désespérée de contre-attaque dont s'empara vivement la jeune fille pour tourner en contre-contre-attaque.

— Pourquoi? Y a pas le droit, tu vas me dire? relança-t-elle prestement. Me semblait que t'étais dans Greenpeace?!? poussa, défiante, la Diane en insistant sur le deuxième point d'interrogation, qui était, dans ce cas-ci, le plus baveux des deux.

Incrédule, la vieille marqua une pause du type « non-mais-est-ce-que-j'ai-bien-entendu-moi-là ? » Puis, convaincue du susmentionné, elle dut étouffer l'éclat de rire qui allait lui échapper et qui aurait inévitablement trahi l'air de bœuf sur lequel elle travaillait si fort depuis cinq minutes. Réprimée, la poussée soudaine d'air trouva donc son *way-out* par les conduits nasaux et il en résulta un « pffumph » du nez un peu moqueur, mais surtout lourd de signification et *très* efficace. En fait, lâcher un pffumph n'était pas étranger à la vieille. Même qu'il était toujours très efficace en ce qui la concerne. Du pffumph de pro. Prenons le temps ici de rendre à César ce qui appartient à César : quand on parle pffumph, on parle madame Kotkowsky. Point à la ligne. La championne des championnes. La reine. *Simply the best.* Qui, sous des allures modestes, ne cachait rien de moins qu'une fiche parfaite. Jamais un pffumph hésitant. Jamais un pffumph inutile. Jamais un pffumph à l'eau. Comme si Dieu lui avait fait don de pffumph. De son pffumph à lui. Le Grand Pffumph. Sur tous les plans. Style remarquable. Timing exceptionnel. Expiration inspirée. Précision redoutable. En vérité, en matière de pffumph, si on tentait une analogie avec le monde du show-business, Joanna Kotkowsky serait la réunion de Marylin Monroe et d'Arnold Schwarzenneger. Force et beauté. Ce qu'elle n'ignorait point. Parfois, quand elle regardait en arrière, elle se disait que si seulement elle avait maîtrisé l'anglais et possédé un talent de communicatrice, avait eu de grosses dents blanches et une autre face que la sienne, de petites fesses rebondies et des seins énormes, eh bien, des disciples du monde entier se seraient pressés à ses pieds. « Pffumph ! » qu'elle leur aurait dit pour les amuser. Puis « Pffumph ! » pour les faire pleurer... Et elle aurait gardé « Pffumph ! » pour la grande finale, le rappel, l'ovation debout. Mais elle vivait une réalité bien différente, avec chaque jour l'impression de donner des pffumphs aux cochons. Elle avait malgré tout su trouver le respect au village où l'on craignait comme la peste le pffumph de la vieille Kotkowsky. Le soir, aux enfants agités qui ne voulaient pas dormir, on disait : « Si tu dors pas dans quinze minutes, madame Kotkowsky va venir faire pffumph ! » Mince consolation pour une déesse.

— Greenpeace... Pffumph ! fit-elle donc avec son nez, en guise de toute réponse.

Comme à l'habitude, son *blow* fut dévastateur et déstabilisa complètement la fille et, en plus — bonus —, le sourd-muet qui, surprise ! lisait aussi sur les narines. Sans attendre, la vieille tenta d'asséner le coup de grâce.

— Et c'est quoi le rapport entre une baleine pis un gars tout nu ?!? hasarda-t-elle, avec le ton mignon et le menton tondu (elle s'était fait appeler « monsieur » à la boucherie une semaine auparavant).

— Essaye pas de changer de sujet ! hurla la Diane, ébranlée. De toute façon, que tu le veuilles ou non, demain t'auras plus d'autre choix que d'y faire face ! pitcha-t-elle.

— Demain ?!... T'as dit demain ??? répéta la maman sans y croire.

— Oui, demain. T'as très bien entendu, trancha la fille.

Le sang de la vieille ne fit qu'un tour. Mais tout un.

— Oh mon Dieu ! Pincez-moi, quelqu'un ! gémit-elle.

La Diane, sur sa lancée, déballa son sac. Valait mieux tout lui dire maintenant :

— Écoute, je l'aime, il m'aime, et l'été prochain, on se marie ! Pis je veux que toute la famille le sache !

— Ben c'est... c'est pas une raison ! ne trouva qu'à répondre sa maman.

— Oui, c'est une raison ! Toute ma vie, ils m'ont parlé dans le dos pis traitée d'air bête, de weirdo pis de loser ! J'vais

leur montrer que, moi aussi, je suis capable d'être heureuse !
vociféra la fille.

— T'aurais pas pu choisir une autre occasion ? chiala la
pauvre vieille, bouleversée.

— Non ! cria la jeune. C'est une des dernières fois où ils
vont tous être là pis j'veux que grand-papa me voit au bras de
l'homme de ma vie ! Papi, lui, y m'aimait... Et c'est tout ce
qu'il m'a toujours souhaité... Comme ça, y pourra partir en
paix, sanglota-t-elle.

Le sourd-muet, la voyant pleurer, voulut lui offrir un
kleenex, mais il n'en avait malheureusement pas sur lui.

La vieille, à bout de nerfs, décida alors de mettre un
terme à ce dialogue de sourds, justement à propos d'un tiers.

— Si tu penses que tu vas amener un gars tout nu au
cimetière le jour de l'enterrement de ton grand-père,
détrompe-toi, ma petite fille ! Y a des traditions qui sont des
traditions et celle-là, ça en est pas une ! En plus, tu sauras
que demain le couvert du cercueil de ton grand-père va être
fermé pis je pense pas qu'y vont l'rouvrir pour y faire voir des
testicules ! J'vais te dire rien qu'une affaire : si tu veux venir
avec ton nudiste, ben, viens pas !

— Ben, j'irai pas ! claqua la fille presque en même temps
que la porte.

Le sourd-muet en ressentit le sol vibrer sous ses pieds.
La jeune fille se tourna vers lui. Elle le toisa de la tête aux
pieds. Elle lui tendit doucement la main. Il la prit. Dedans
il y avait un billet de cinquante dollars.

— Merci, lui dit-elle simplement. J'avais pas le goût
pantoute d'aller à l'enterrement.

Elle se rendit à la voiture et démarra l'engin qui disparut
à toute allure dans un nuage de poussière.

Le sourd-muet tout nu eut alors la terrible impression de
s'être fait prendre les culottes à terre. Dépassé par les événements, un billet de cinquante dollars à la main, il se gratta

le scrotum de l'autre, perdu dans son latin. «Bof», se dit-il, éternellement optimiste. «J'ai cinquante piastres. C'est mieux qu'un coup de pied au cul.» Ce qui, dans son cas, était plus que vrai. Il sourit, voulut glisser le billet dans sa poche, réalisa sa bourde et se mit à rire silencieusement. Bienheureux, il entreprit de gambader jusqu'au village. «Tout est bien qui finit bien», pensa-t-il. Mais sans le savoir, il était en train de changer la face de l'univers. Car le mouvement de sa zouzoune qui battait au vent allait déclencher, le lendemain matin, un raz-de-marée en Orient...

PASCAL BLANCHET

Journal d'un mort

Pascal Blanchet

Après avoir étudié l'art dramatique à l'UQAM et l'humour à l'École Nationale du Même Nom, il retombe soudain en enfance et se met à fournir le petit écran (surtout Canal Famille) en textes censés faire rire la jeunesse. S'étant enfin aperçu que les enfants, n'ayant pas de rides, n'ont pas tant besoin d'être déridés, il espère atteindre un peu l'âge adulte au moyen du texte qui suit. Il ne désespère pas d'avoir un jour à son actif un grand roman, une grande pièce de théâtre, un grand film ou, en tout cas, quelque chose de grand.

DING !

Ier janvier

ÊTRE MORT, ce n'est pas si mal que ça après tout. Je flotte dans une lumière bleutée, du lointain me parviennent les échos d'une musique très douce... C'est délicieux, j'ai l'impression d'être au Carrefour Laval.

Je me rappelle avoir souvent dit que les soupers en famille étaient mortels, mais je ne m'attendais pas à trépasser littéralement pendant le repas du jour de l'An. Celui-ci s'était à vrai dire assez mal engagé. Tout d'abord, Josée, ma conjointe, avait refusé de m'accompagner. Sa profession exigeant d'elle une quantité considérable de patience, elle prétend qu'il ne lui en reste plus quand arrive le temps des fêtes. Au réveillon de l'an dernier, au plus fort d'une discussion houleuse, elle s'est mise à bombarder ma famille à coups de patates au four — geste assez étonnant de la part d'une psychologue spécialisée dans les victimes d'agressions. Aussi, cette année, lorsqu'elle a invoqué une migraine subite pour se défiler, j'ai fait mine de la croire.

J'aurais pourtant bien aimé qu'elle soit là. C'était une soirée importante pour moi: j'avais finalement décidé d'amener quelques cassettes de mon émission de télévision pour les montrer à ma famille. Personne chez moi n'ayant jamais rien vu de ce que j'écris, cette projection allait être, pour moi, un grand moment.

C'est peut-être cette émotion anticipée qui m'a fait m'étrangler avec un os de dinde ? Sans compter que, une fois passée la couronne de crevettes, l'atmosphère commençait déjà à être un peu tendue autour de la table. Préoccupé, j'ai manqué le début de la querelle. Cependant, je sentais le ton monter, lentement mais sûrement, avec la régularité d'une machine à laver mal équilibrée quand commence le cycle d'essorage.

Il fallait faire diversion. Je ne pouvais espérer aucune aide de mon père qui ronflait doucement tout en faisant mine de souffler sur ses patates pilées. J'ai donc complimenté maman sur son repas. Et j'étais sincère ! J'aurais préféré de la fondue chinoise : toutes ces fourchettes et ces sauces, ça demande beaucoup de concentration, alors tout le monde se tient tranquille. Mais qui dit fondue dit patate au four, et depuis l'épisode de l'an dernier, ma mère boycotte ces féculents qui peuvent faire très mal. Bref, mes dernières paroles ont été : « Maman, ta poitrine est vraiment — aaargh... »

Toutes ces pensées me traversent l'esprit (je peux dire ça maintenant que je ne suis plus qu'esprit), tandis que je vois mon corps encore agité de faibles soubresauts, gisant face contre terre, le nez baignant dans un filet de bave mêlé de sauce brune. Je vois enfin le fameux film de ma vie : c'est très flou (je ne sais pas qui s'occupait des éclairages, mais en tout cas je n'ai pas de compliments à lui faire). Au-dessus de moi, mon frère et ma sœur ont une querelle assez violente au sujet de la bonne façon de pro-noncer « Heimlich ». Un peu plus loin, ma mère s'agite autour du téléphone : elle n'ose pas déranger les gens du 9-1-1 le soir du jour de l'An... Et s'il fallait que les ambulanciers viennent pour rien, ne serait-ce pas extrêmement embarrassant ? Personne n'a pris la peine de réveiller mon père. Au fond, je peux être fier de moi : j'ai vraiment réussi à faire diversion...

Pendant que mon enveloppe charnelle émet ses derniers râlements, je fais un saut jusque chez moi. J'ai maintenant le don d'ubiquité — qualité que j'aurais bien aimé posséder du temps où j'étais pigiste. Josée ne se doute pas que je suis mort. Insouciante, elle regarde la reprise du *Bye Bye*. Voilà au moins une chose que ma mort prématurée m'aura permis d'éviter.

2 janvier

Je repose présentement à la morgue. Enfin, je suppose que c'est ça qu'on appelle une morgue : ça ressemble à un dortoir, sauf qu'on y dort vraiment très profondément. Si je m'en donnais la peine, je pourrais peut-être aller à la rencontre des esprits de tous ces morts qui m'entourent. Je les entends qui discutent avec cette cordialité un peu forcée qui a cours habituellement dans les partys de bureau. Mais je n'ai pas le goût de me joindre à leur conversation. Je suis un macchabée bien antisocial.

Plus j'y repense, plus ma mort était prévisible. C'est tout juste si je ne l'avais pas inscrite dans mon agenda. La semaine précédant mon ultime souper, je l'avais consacrée à terminer des choses...

Tout d'abord, la série télévisée à laquelle je travaille depuis cinq ans, une émission pour les très jeunes enfants qui connaît un grand succès : *Crapounette et Chatouillis*, les aventures à petit budget d'une adolescente espiègle et de son grand ami, un koala plein d'esprit (une jolie marionnette à gaine en peluche, dont tout le monde s'arrache la copie dans les magasins à l'époque des fêtes — je touche un pourcentage sur chaque koala). Cinq ans déjà que j'écris des textes pour cette série, cinq ans de plaisanteries inoffensives et de péripéties non violentes. Au départ, j'avais accepté ce contrat seulement comme gagne-pain, en attendant de réussir à terminer mon roman. Puis, j'avais été un peu dépassé par le succès. L'engouement pour ma bestiole poilue avait été tel que j'avais tout abandonné pour pondre du *Crapounette et Chatouillis* à temps plein.

L'automne dernier, j'ai enfin réussi à convaincre mon producteur de mettre un terme à la série. Il fallait se rendre à l'évidence : Crapounette ne pouvait pas toujours avoir six ans. D'ailleurs, la comédienne commençait à avoir ses nerfs. À force de jouer Crapounette, la pauvre ne peut plus s'empêcher de zézayer, ce qui lui a grandement nui quand elle a tenté une rentrée théâtrale dans le rôle de Phèdre. De retour en studio, après cette expérience malheureuse, elle a menacé d'égorger Chatouillis avec des ciseaux à bricolage.

Mon producteur répugnait à tuer sa vache à lait (surtout qu'il venait de vendre les deux cents premiers épisodes à la République du Kazakhstan). Un soir de grande lassitude, j'avais écrit un scénario final au cours duquel Chatouillis s'étouffait en grugeant une feuille d'eucalyptus. Bouleversée par cette mort émouvante, Crapounette acceptait de devenir une grande fille et vivait ses premières menstruations. J'ai remis le texte à mon producteur, pour lui montrer l'ampleur de mon écœurement. Après une discussion houleuse, il avait enfin consenti à terminer la série et, bon prince, j'avais écrit une version plus convenable de ce dernier épisode. Enfin ! Adieu Crapounette, *so long* Chatouillis ! (Ou plutôt « goulgup », comme il le disait lui-même en langage koala.) Écrire mon dernier épisode et mourir ?...

Ou plutôt, n'était-ce pas à cause de mon roman ? Après y avoir travaillé depuis plus de dix ans, j'avais enfin écrit le dernier chapitre cet automne (profitant du fait que j'avais mis le point final à *Crapounette et Chatouillis*). C'est un excellent polar, je pense, ayant pour protagoniste une meurtrière en série, octogénaire et cruelle. Elle invite des enfants chez elle, leur fait manger de la réglisse empoisonnée puis les broie membre par membre dans son robot culinaire. Ensuite, elle les incorpore dans des gâteaux aux fruits qu'elle vend au profit des bonnes œuvres de sa paroisse. La fin était difficile à écrire ; il me fallait rendre crédible le personnage d'un détective qui, pour piéger la meurtrière, utilise son propre fils comme appât, le jetant ainsi dans la gueule du blender, si je puis dire. Enfin, j'y étais parvenu grâce à un revirement tout à fait inattendu — que je ne vais pas vous révéler ici, quand même. Le manuscrit repose sur mon bureau, tout chaud sorti de l'imprimante. Josée doit le lire pendant les vacances des fêtes.

Peur du succès ? Peur de l'échec ? Peut-être que je ne voulais pas savoir vraiment ce qu'elle en penserait — puis après elle, les éditeurs à qui j'allais l'envoyer. De même avec mon émission, que je m'apprêtais à montrer enfin à ma famille. Mon père, ma mère, mon frère, ma sœur : aucun d'eux n'a jamais regardé ne serait-ce qu'une scène de mes œuvres. Évidemment, aucun adulte sain d'esprit n'a envie de se lever à sept heures du matin pour voir une comédienne dans la quarantaine coiffée de tresses en Phentex refuser de partager sa tartine avec un marsupial manipulé par en dessous.

De mon côté, je ressentais un mélange de pudeur et de fierté. Je leur en parlais de façon évasive quand ils me posaient des questions vagues sur mon travail. J'aurais aimé que d'eux-mêmes ils regardent l'émission, pour ensuite me couvrir de fleurs. Mais je n'allais quand même pas les supplier ! Mon besoin d'approbation a grandement diminué avec les années, surtout depuis que j'ai gagné un Knöffen-gaard de bronze dans un festival de télé jeunesse au Danemark. Mais tout de même, une petite tape dans le dos de la part de mes proches m'aurait fait plaisir...

Donc, j'aurais profité du premier os de dinde qui me passait par le gosier pour m'étouffer. Une sorte de suicide involontaire... Plutôt mourir que d'affronter les réactions de ma famille. Plutôt crever que d'aller jusqu'au bout avec mon roman...

Tout en me passant ces réflexions troublantes, je vais faire un tour, voir mon monde. Josée n'arrive pas à s'endormir, malgré un somnifère et deux téléromans. Ma mère, à qui le deuil ne fait pas perdre son sens pratique, congèle ses restes de dinde. Papa sommeille devant une défaite des Canadiens. Mon frère et ma sœur font un Scrabble. Pour ne pas penser à leur tristesse, sans doute. Ça semble assez bien fonctionner. Tous ont quand même les yeux rouges. La douleur, sûrement... À moins que ce ne soit la thermopompe qui fasse encore des siennes?

Allons, je ne vais quand même pas devenir nostalgique! Il est vrai que dans ma morgue, l'atmosphère n'est pas au party. On vient encore d'amener un défunt, assez mal en point celui-là, puisqu'il est éparpillé sur trois tables. Un accident de souffleuse, sans doute.

3 janvier

Je suis toujours aussi serein face à mon état de mort, bien que j'aie assez peu apprécié d'assister à mon propre embaumement. Après un tel spectacle, l'expression « mettre ses tripes sur la table » prend un tout autre sens. Le croque-mort a beaucoup de talent pour la coiffure. Il m'a fait une mise en plis absolument superbe. En tout cas, je n'ai jamais été aussi bien peigné de mon vivant. C'est grand dommage que je sois décédé, je crois que je serais allé danser.

Les choses suivent leur cours. Ma mère est venue au salon mortuaire avec Josée. Elles ont passé des heures dans la salle de montre à discuter des mérites respectifs du chêne massif et du contreplaqué. Josée, qui n'aime pas le gaspillage, prétend qu'un cercueil condamné à disparaître au moment de l'incinération, pourrait tout aussi bien être en papier mâché. Mais, lui répondait ma mère, on ne meurt qu'une fois (jusqu'à preuve du contraire) ; il faut donc faire les choses en grand... Je ne sais pas trop ce que j'en pense. Ce long échange ne s'est pas fait sans acrimonie. Le croque-mort, qui ne savait plus où se mettre, a fini par s'éclipser un moment pour aller prendre une double dose de Pepto-Bismol.

Rien de nouveau à la maison. Mon roman repose toujours sur mon bureau — qu'il repose en paix lui aussi. Josée l'a sûrement lu — je ne suis pas toujours avec elle, j'aurais l'impression de l'espionner — et elle va s'occuper de l'envoyer à des éditeurs. Il faudra trouver un titre... *Le gâteau aux fruits mortel*, mon titre de travail, n'est pas entièrement convaincant. Chez mes parents, la pile de cassettes est toujours sur le buffet. Ils vont regarder tout ça d'un autre œil maintenant. Je m'attendris déjà en imaginant leurs larmes. Pour l'instant, ils ont bien d'autres chats à fouetter. Ma mère organise la réception qui aura lieu après la cérémonie. Elle songe à la tenir dans une brochetterie. Je l'ai entendue dire qu'elle trouve de mauvais goût de servir des viandes froides après des funérailles. Mais alors, des grillades après une incinération ?...

5 janvier

L'incinération s'est très bien passée. Auparavant, les funérailles, empreintes de dignité et d'humour, ont eu lieu dans une église aux bancs clairsemés. Je croyais avoir plus d'amis. Mais c'est très bien ainsi. Je n'aurais pas voulu quelque chose de trop fastueux. Un collègue de l'Union des auteurs d'émission pour enfants de trois à six ans a fait mon éloge funèbre — avec un enthousiasme assez modéré, m'a-t-il semblé. Il est vrai que mon succès a suscité beaucoup de jalousie. J'ai même cru détecter quelques pointes d'ironie dans son discours, qui ressemblait plutôt à un «bien cuit» (prélude à la crémation?).

De toute façon, personne ne l'écoutait. Mon frère et ma sœur cherchaient des fautes dans le bulletin paroissial, ma mère faisait le ménage de sa sacoche et papa ronflait. La comédienne qui joue Crapounette avait fait faire un superbe Chatouillis en chrysanthèmes pompons et le regardait faner avec délectation. Mon producteur s'est fait remplacer par sa secrétaire, mais il a eu une jolie idée: faire jouer à l'orgue le thème de *Crapounette et Chatouillis*, arrangé dans le style d'une fugue de Bach. Peu de gens ont reconnu cette mélodie qui sautillait lourdement du jubé à la nef. Je me fredonnais les paroles à moi-même, tandis que mon cercueil passait dans l'allée centrale en direction de la sortie: «Qui qu'a des idées plein la tête? C'est Crapounette! Qui qu'a du gros plaisir ici? C'est Chatouillis!»

10 janvier

Je trouve le temps long. Mon esprit ne va-t-il pas s'envoler vers un ailleurs riant?

Je crois avoir compris quelque chose: le destin de mon esprit est lié à celui de mes œuvres et/ou de mes personnages. Je ne peux mourir complètement tant que Chatouillis n'aura pas levé les pattes lui aussi (c'est une façon de parler, puisque, en tant que marionnette à gaine, il n'a pas de pattes). Les enregistrements ont repris, je suppose. J'ai entendu mon producteur parler du dernier épisode, la finale *soft* que j'avais écrite (Chatouillis est en fait un extra-terrestre et son vaisseau spatial revient le chercher, au grand dam de Crapounette qui doit maintenant affronter la solitude... «Au revoir, Chatouillis! Goulp-gup!» lui lance-t-elle dans un hoquet déchirant). Ça va être très joli. De toute façon, moi mort, qui voudrait prendre la relève? Ils vont sans doute faire paraître à la fin de l'émission un panneau noir portant l'inscription: «Cet épisode est dédié à la très douce mémoire de...» Et tandis que le vaisseau spatial en résine de synthèse argenté va s'élever dans les airs, mon âme enfin s'envolera en paix dans le cosmos. Le tournage doit avoir lieu ces jours-ci, la diffusion est donc pour la fin de février. Après ça, des reprises comme s'il en pleuvait. Josée n'a pas fini de toucher des droits de suite.

Parlant de Josée, elle n'a toujours pas lu mon roman. (Idée de titre: *Tes petits doigts dans l'engrenage*, à souffler en rêve à Josée.) Je la comprends. Ma mort est encore trop récente. Qu'elle prenne son temps. Mais peut-être mon fantôme ne sera-t-il libre qu'à la parution de mon roman? On verra bien. En attendant, mon urne trône dans le salon chez mes parents, sur le téléviseur, à côté du télé-horaire. Je me sens doublement chez moi.

14 janvier

Après bien des indécisions (après surtout m'avoir flanqué par terre à quelques reprises en faisant le ménage), ma mère a décidé de m'exhumer. Elle a laissé l'urne sur la télé (parce qu'elle va bien avec la moquette), mais elle a mis mes cendres dans un plat Tupperware vert et long, celui qui sert habituellement à entreposer le céleri. Comme il n'y avait pas de place dans le réfrigérateur, elle m'a relocalisé dans la chambre froide, parmi ses pots de conserves. J'aurais aimé quelque chose de plus poétique, par exemple qu'elle me répande dans son jardin, au-dessus du massif de pivoines. Au lieu de cela, me voici entre le ketchup vert et les cornichons sucrés. Je ne sais pas qui lui a mis dans la tête que les cendres devaient être conservées au frais.

Enfin, peu importe. Le résultat, c'est que je suis attiré malgré moi vers la chambre froide. Ce qui m'a permis de voir mon père s'y glisser de temps en temps pour prendre de grandes lampées de gin. Ceci explique bien des choses, entre autres ses nombreuses chutes dans l'escalier de la cave.

20 janvier

J'ai eu un moment d'espoir ce matin. Mon père, qui s'était endormi la veille devant la télévision, a passé la nuit sur le canapé, l'écran allumé. En se retournant, il a posé une fesse sur la télécommande. Il est tombé sur la chaîne qui présente *Crapounette et Chatouillis*. Sept heures allaient sonner, et en avant «Qui qu'a des idées plein la tête...» Malheureusement, maman s'est levée à six heures cinquante-six et est venue engueuler mon père. Elle a refermé violemment la télé, juste au moment de la première note du générique. Papa est allé se recoucher dans son lit, non sans faire un détour par la chambre froide.

Après cet échec, la journée est allée de mal en pis. Passant par chez moi, j'ai vu Josée qui faisait le ménage de mon bureau. Elle a mis mon roman dans le bac à récupération. Bien sûr, je suis heureux qu'elle ait une conscience sociale. Mais ça m'a fait un pincement quelque part (j'allais dire au cœur, mais je ne bénéficie plus de ces organes vitaux). L'a-t-elle lu? Et si oui, pourquoi le jette-t-elle? Se pourrait-il qu'elle s'en débarrasse sans même le lire? Je ne sais quelle option est la pire. J'en conclus qu'elle souffre trop et veut se défaire de ces souvenirs trop obsédants.

Pour ajouter à mon agacement *post mortem*, mon frère a enregistré en soirée le film érotique du samedi, utilisant pour ce faire une des cassettes de mon émission. Je comprends qu'il y a vraiment beaucoup de pauses publicitaires et bien peu de scènes d'actions, et que c'est très pratique de regarder le film en accéléré... Tout de même, n'aurait-il pas pu prendre une autre cassette?

Mais je suis sans amertume. Je ne lui en veux pas. Le pauvre doit s'ennuyer : vingt-neuf ans et il demeure encore chez mes parents. Sans emploi, à la recherche du médecin qui confirmera son inaptitude au travail, causé — prétend mon frère — par une allergie à ses pellicules.

Un seul espoir me reste : au centre de récupération, quelqu'un, en faisant le tri du papier, interceptera mon manuscrit. Ce sera un étudiant en lettres qui, subjugué par la force de mon écriture, se chargera de la révéler au monde entier. En attendant, pour me détendre un peu, j'imagine que ma mère se décide à regarder les cassettes de *Crapounette et Chatouillis* et tombe sur *La collégienne en a plein les mains*.

21 janvier

En laissant flotter mon esprit par la ville, je suis tombé, tout à fait par hasard, sur l'usine de récupération. Là, dans un monceau de papier, j'ai retrouvé mon roman.

Cruelle déception : la pile de papier a pris le bord du dépotoir. J'avais bien entendu dire qu'on ne récupérait pas tout, mais j'étais loin de me douter que mon œuvre en ferait les frais. J'ai vu le camion transportant la dépouille de mon polar se vider de son contenu à la décharge municipale. Les pages de mon roman volaient dans tous les sens. Un goéland est venu se soulager sur la page 265 qui commençait par ces mots : « L'infâme vieillarde appuya un doigt crochu sur le bouton "vitesse maximum" de son sinistre mélangeur, et c'en fut fait du pauvre petit Yannick... »

Et voilà. J'aurais trouvé moins blessant d'être transformé en essuie-tout.

24 janvier

Je commence à m'énerver. Aujourd'hui, ma sœur, qui racontait mon décès à une collègue de travail, a été incapable de se souvenir du nom de mon émission. Pauvre petite sœur : trente-cinq ans, encore célibataire, n'ayant rien de mieux à faire de ses samedis soirs que de se peinturer les ongles d'orteils. Je ne dis pas ça pour la dénigrer. J'observe, tout simplement. C'est même tout ce que je fais, ces jours-ci.

Josée a invité son ex à souper à la maison. Refusant de regarder ça, je suis parti avant le dessert. Ma mère m'a relégué sur la tablette du bas de la chambre froide, à côté d'une caisse de quarante-huit rouleaux de papier hygiénique. Je comprends que la vie continue, mais je vais finir par être un peu morose. À preuve, mes cendres s'agitent dans le plat à céleri en faisant un bruit de maracas.

14 février

J'ai fini par découvrir que j'étais doté de quelques pouvoirs. Ils semblent apparaître surtout au cours de moments de colère. Phénomène fascinant et difficile à expliquer : j'agis surtout sur l'air, que je peux rendre très chaud ou très froid... C'est fou tout ce qu'on peut faire avec de l'air.

Ainsi, en me concentrant très fort, je réussis très bien à augmenter l'intensité des ronds de poêle. J'ai fait brûler les patates de Josée, ce qui lui a valu une première engueulade avec son ex-ex. Bien fait pour eux. Juste pour voir, j'ai fait mourir le ficus de maman, en infiltrant un courant glacial le long des racines. Je souffle très fort dans les cheveux de mon frère, ce qui lui fait comme un fugace nuage de pellicules autour de la tête. Je lui ai fait le coup ce matin alors qu'il passait une entrevue pour un travail de concierge dans une école. Dans le même registre plutôt gamin, je m'amuse à soulever la jupe de ma sœur aux moments les plus inopportuns. Ce n'est pas très original, mais ça la fait bien crier.

Une nuit, je suis retourné au dépotoir et, à grands coups de vent, j'ai rassemblé mon roman. Sous mon impulsion, elles se sont envolées, trois cent cinquante pages formées en V, comme une bande d'oies blanches. Je les ai faufilées une à une sous le seuil de la porte d'en avant de la maison de mes parents. Elles reposent maintenant juste derrière mon tombeau Tupperware.

Tout ça me garde très occupé ; mine de rien, j'ai dû soulever plusieurs tonnes de déchets accumulés pour exhumer mon œuvre. Je n'ai pas encore vraiment goûté au repos éternel. Pas eu le temps d'aller voir du côté de mon cher producteur. Je ne sais pas quel vent mauvais je pourrais bien faire souffler pour lui. Je m'en méfie. La saison de télévision achève : ce sera bientôt la dernière de *Crapounette et Chatouillis*. Lueur d'espoir, on présente maintenant la reprise de l'émission du matin à l'heure du souper. L'heure idéale pour un rassemblement familial.

28 février

Tout est prêt. C'est aujourd'hui la dernière de *Crapounette et Chatouillis*. Par un heureux hasard, tout le monde est réuni chez mes parents à l'heure du souper : Josée est venue discuter de ma succession avec ma famille. Je fais le modeste en parlant de hasard. En réalité, j'ai provoqué cette réunion en faisant disparaître mon testament (je l'ai faufilé dans le boyau de la sécheuse — ne me demandez pas pourquoi, ça m'est venu comme ça).

Josée arbore un magnifique œil au beurre noir, gracieuseté de son ex. Mais ne la plaignez pas trop : l'ex a quinze points de suture dans le front, Josée ayant tenté de l'assommer avec la lampe de chevet. Je les ai peut-être taquinés un peu fort, une nuit, en envoyant de l'air froid sur les pieds de l'un et de l'autre, ce qui a démarré le conflit. Voilà comment on passe de ex-ex à re-ex.

Donc, Josée entre avec son œil au beurre noir. Maman lui lance des regards à désosser un rôti de porc frais. Le frère et la sœur sont déjà au salon à s'échanger des vacheries sans imagination. L'atmosphère est à couper au couteau, sauf pour papa qui ronfle en écoutant les nouvelles (il vient de découvrir la vodka, qui gèle tout autant que le gin sans altérer l'haleine). Ne serait-ce pas là le bon moment d'écouter une excellente émission jeunesse, pour se détendre ?

J'ouvre la télé : *Crapounette et Chatouillis* commence. (Après des heures de travail, je suis capable de jouer de la télécommande comme un virtuose de son Stradivarius.) Ma famille est saisie de stupeur. Ils écoutent. Ils reconnaissent mon émission. Ça y est, ils vont écouter religieusement, ils vont admirer mon travail. Et moi, je vais assister à la fin de Chatouillis. Ce sera mon apothéose. Réconcilié avec ma famille, emportant avec moi mes personnages, je vais pouvoir enfin me dissoudre dans le grand tout (ou quoi que ce soit d'autre qui m'apporte le repos). Et cesser cette guéguerre de courants d'air.

Mais ça ne va pas très bien. Ma mère décide d'aller préparer du café. Josée la suit pour vérifier qu'elle fait bien du déca. Mon père, qui avait rouvert un œil, se rendort. Mon frère et ma sœur ricanent en écoutant le babil de mes héros.

Mon esprit tournoie dans le salon avec rage, mais évidemment personne ne s'en aperçoit. Ils sentent bien quelque chose leur chatouiller le poil des bras, mais ils mettent ça sur le dos de la thermopompe.

L'émission achève : Chatouillis est monté à bord du vaisseau spatial, Crapounette se lamente et affirme qu'elle va s'ennuyer super gros-gros. Maman et Josée crient dans la cuisine. Papa ronfle plus fort, mon frère et ma sœur ne se tairont jamais. J'ai hâte que ça finisse.

Soudain, c'est la catastrophe : Chatouillis saute hors du vaisseau (le trucage est raté, on voit le bras du manipulateur). Il déclare renoncer à son beau voyage. Il aime mieux rester avec Crapounette pour avoir du gros plaisir. « Hourra ! » s'écrie Crapounette. Et de conclure : « À bientôt, pour de nouvelles aventures ! » — « Goulp-gup ! »...

Je n'ai jamais écrit ça. Mon producteur a mis ses grosses pattes sales dans mon ultime scénario. La série va continuer. Il va engager quelque jeune auteur famélique pour écrire une cinquième saison. Quant à moi, je n'ai pas du tout la sensation de m'envoler. Je reste là pour regarder ma famille siroter leur café en s'engueulant de plus belle.

La colère qui bouillonne en mon non-être est difficile à décrire. Je perds toute maîtrise de ce qu'il reste de moi-même. Je deviens une série de petites tornades extrêmement violentes mais dirigées avec beaucoup de précision. D'abord la télé se met à cracher des flammèches pendant le générique, juste comme apparaissait un panneau noir à ma mémoire. Je défrise tout le monde, ma sœur a la jupe par-dessus la tête, mon frère une myriade de flocons autour des oreilles...

Je fais pire encore : j'explose littéralement. De la chambre froide au salon, mes cendres sont propulsées dans les airs comme une tempête de sable qui va couvrir tout sur son passage, choses et gens. Mon roman suit le même chemin et

semble vouloir attaquer ma famille comme trois cent
cinquante vautours en papier... Je me répands partout dans la
maison, mes cendres vont s'infiltrer dans les moindres
craques de planchers, les pages de mon roman sont violemment pulvérisées et essaient de rentrer de force dans tous les
yeux présents.

Quand, épuisé, je me calme enfin, je n'en crois pas mes
yeux. Au lieu du spectacle de désolation que j'attendais, tout
le monde, réuni par la catastrophe, met la main à la pâte.
Cette fois-ci, ils sont convaincus que la thermopompe vient
de rendre son dernier soupir. Mon roman en miettes prend
le bord d'un grand sac vert. Ma mère passe l'aspirateur et
m'ensache pour de bon.

L'éternité sera longue!... Je cherche déjà des méthodes de
torture d'une cruauté raffinée pour vous tous, traîtres et traî-
tresses, ingrats et ingrates... Moi qui ne suis plus qu'un
courant d'air, je vais vous souffler dessus sans relâche. Mieux
encore, je vais entrer en vous et vous donner des gaz qui vous
troubleront la veille et le sommeil...

Et dire que si maman avait fait de la fondue au jour de
l'An, rien de tout ça ne serait arrivé.

FRÉDÉRIC GAGNÉ

Histoire horrifiante

Frédéric Gagné

Sorti de l'ENH en 1994, il a, depuis, surtout travaillé
comme amuseur de rue, de banquet et d'hôtels, où il a acquis
une bonne expérience dans la composition et l'interprétation de
personnages comiques. Il a aussi beaucoup écrit, histoire de se
faire la main et un style. D'ailleurs, ses tiroirs regorgent de
textes sans sérieux. Il travaille actuellement à un projet
d'émission humoristique pour la télévision et au perçage
d'un tunnel reliant sa chambre et la réserve d'or
du gouvernement américain. Les travaux vont bon train.
En terminant, il aimerait rappeler que les choux sont des
légumes impossibles et qu'il est donc erroné de croire que
Frédéric Gagné est né dans l'un d'entre eux. Ceux qui croient
ce ragot ridicule ne connaissent rien au jardinage.

△▽

⑤

"DING!"

Samedi soir, vingt-deux heures, Marc peint le tapis du salon, Martin fait la vaisselle et moi rien. Depuis longtemps déjà, nous discutions de l'argent qu'il y a à faire avec un café-bistrot sur la Lune. Moi, en partant de l'idée qu'il fait froid sur la Lune, j'étais convaincu que du café chaud ça se vendrait bien. Martin appuya ma thèse en ajoutant que les Américains qui vont sur la Lune sont riches, alors, pas de gêne pour augmenter les prix. Marc allait mettre un point final à la conversation en déclarant que la Lune n'existait pas, lorsque du placard, on entendit un grand bruit sec. Et paf! Plus de lumière.

Les quelques minutes qui ont suivi le bruit et l'arrivée de l'obscurité ont été marquées par notre totale indifférence à la nouvelle situation. Nous avions entendu quelque chose dans le placard; il faisait noir; on aurait pu, par mégarde, allumer un rond du poêle et s'asseoir dessus; mais personne ne semblait effrayé. Même que pour détendre l'atmosphère, j'ai entamé une chanson. On avait beaucoup de plaisir mais au troisième couplet Martin a avalé une assiette, Marc a éclaté en sanglots et, moi, j'ai arrêté de chanter. Drame! Nous avions craqué.

Il était maintenant évident que si Martin avait avalé une assiette, c'était parce qu'il n'y avait plus de lumière. Nous étions tous les trois terrorisés par ce manque et par le fait que même si on fermait les yeux sur ce qui nous arrivait, on ne voyait rien de toute façon.

Comme j'allais prendre la décision de rétablir l'ordre en moins d'une minute et d'offrir une bière à tout le monde, Marc arrêta de pleurer. Il était probablement debout lorsqu'il s'est écrié : « Les gars ! Nous devons agir. » Martin cracha un morceau d'assiette et demanda : « Toi qui es notre phare, où veux-tu qu'on regarde ? » Marc répondit : « Il faut regarder vers la porte du placard, car c'est de derrière cette porte qu'est venu ce bruit qui a ruiné nos vies. » D'une voix pleine de sagesse, il ajouta : « Lumière, où es-tu ? »

Nos yeux lui disaient : « Qu'est-ce qu'on doit faire ? Doit-on s'approcher de cette porte, l'ouvrir, identifier clairement le problème, le régler en moins d'une minute et refermer la porte ? » Il n'a jamais vu nos yeux, mais il a fini par dire : « Exactement ! »

Nous sommes donc partis tous les trois à tâtons vers la porte du placard. Notre pas était décidé, car nous étions convaincus que la porte de ce placard maudit n'était pas ensorcelée et qu'elle ne nous résisterait pas longtemps. En effet, un coup de pied et elle s'ouvrit sans rouspéter. Quelque chose bougeait au fond du néant devant nous. Le silence n'était troublé que par un bruit de petit moteur électrique. Le mystère était dense, car comment peut fonctionner un tel moteur lorsqu'il n'y en a pas ? J'ai allumé une lampe de poche.

La première chose que nous avons vue c'est une paire de bottes. Rien d'anormal. Ensuite, je fus satisfait de trouver un clou rouillé. On a aussi vu une échelle, un pneu et, finalement, trois beaux chatons qui s'amusaient tendrement en ronronnant comme trois petits moteurs. Éclat de rire général d'environ deux minutes. C'était très drôle, car après enquête nous avons compris que la panne de courant avait été provoquée par les trois chatons. En jouant, les petits coquins avaient enfoncé un manche à balai dans le panneau électrique.

Grâce à son ingéniosité légendaire, Martin a rétabli le courant en moins d'une minute et une joie sereine s'est alors emparée de nous. Notre victoire était totale ; nous avions vaincu la peur et récupéré la lumière de notre demeure.

On a fêté l'événement en buvant de la bière, en mangeant des biscuits et en regardant les trois chatons suffoquer dans un sac de plastique.

FRÉDÉRIC GAGNÉ

Lettre au directeur des loisirs
Vol. 14, n° 03

DING!

Monsieur le directeur des loisirs,

Vous vous opposez à mon projet depuis quatorze ans et je crois qu'il est temps pour vous de me donner raison. Je vous répète donc ma position pour la troisième fois cette année : notre quartier doit avoir son équipe de Strip-Poker.

Au cours de notre dernière conversation téléphonique, vous m'avez encore servi votre éternel argument, à savoir que le Strip-Poker incite les jeunes au nudisme. Si vous tenez vraiment à cet argument ridicule, c'est que vous ne comprenez rien au but du jeu. Au Strip-Poker, être nu c'est avoir perdu. Le Strip-Poker enseigne donc aux jeunes le désir de vaincre par pudeur. Vous voilà bouche bée, j'en suis sûr.

Vous savez comme moi que les jeunes de notre quartier, comme partout ailleurs, admirent les joueurs professionnels. Vous n'allez tout de même pas prétendre que Richard Potvin est un nudiste ? Potvin, le joueur étoile devant qui tout le monde retire son caleçon. Potvin, celui qui a infligé plus de trente-cinq mises à nu depuis le début de la présente saison. Et tous les autres joueurs du Paquet de Linge de Montréal ? Des Never Nude de Toronto ? Des Tout Habillé de Québec ? Ou des Always with clothes de Vancouver ? Tous des nudistes, je suppose ?

Les jeunes voulant pratiquer ce jeu comme leurs idoles ont le droit légitime de pouvoir le faire au sein de ligues organisées pour eux. Notre quartier est le seul à ne pas avoir d'équipe, ce qui devient gênant. Alors, cessez donc de vous obstiner. De toute façon, votre argument est farfelu et n'a aucune logique.

En terminant, je vous le répète : notre quartier doit avoir son équipe de Strip-Poker. Téléphonez-moi cette semaine à ce sujet.

Veuillez, monsieur, accepter l'expression de mes sentiments distingués.

Votre ennemi de toujours

P.S. : Les membres du Mouvement Pour Une Équipe De Strip-Poker en ont plein le dos des membres du Mouvement Contre un Mouvement Pour Une Équipe De Strip-Poker que vous dirigez avec tant de finesse. Chaque lundi soir, pour nous humilier, vos disciples viennent se dévêtir devant nos maisons. Cela doit cesser.

PÉTITION

Pour une ligue de Strip-Poker

Les jeunes de notre quartier en ont le *droit*

Nom	Prénom	Adresse	Signature

BRUNO LANDRY

La signature

Bruno Landry

Bruno Landry est un des membres fondateurs du groupe Rock
et Belles Oreilles dont il a fait partie pendant quatorze ans.
Par la suite, il a continué son petit bonhomme de chemin à la
télé, à la radio et sur scène en tant qu'humoriste, animateur,
porte-parole publicitaire en plus de participer à la conception
et à l'écriture de nombreux projets. Mais, dans le fond,
Bruno aurait préféré exercer le métier de pompier, car
il se contenterait volontiers de jouer aux cartes et de piquer
un petit somme durant les heures de travail.

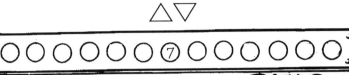

1

Dimanche matin, 11 h 17.

Si j'entreprends la rédaction de ce journal, c'est pour rétablir certains faits. Sans même qu'on connaisse mon identité, il s'est dit et surtout écrit des choses sur mon compte qui sont totalement fausses. J'espère que le jour où je déciderai de rendre publiques ces quelques pages, on comprendra mieux mes faits et gestes. J'ai peut-être commis çà et là quelques petites erreurs de parcours, mais dans l'ensemble je suis fier de ce que j'ai accompli pour la bonne marche de notre société et le respect de sa réglementation. Je suis un citoyen bien ordinaire, satisfait de son petit train-train, et je ne me connais aucun ennemi en ce bas monde. Si j'avais à avouer une petite faiblesse, ce serait pour la bonne chère. Surtout si on me présente boudin, abats ou andouillettes.

Signé : Marcel Laporte-Blouin.

2

Lundi soir, 22 h 21.

J'aime le lundi. C'est la journée qui donne le ton et le rythme de la semaine à venir. Voici ce qui vient de se dérouler il y a deux heures à peine.

De ma chaise, j'observais le corps inanimé gisant sur un vieux fauteuil troué. Ses yeux mi-clos semblaient regarder vers le bas comme s'il se concentrait sur un détail du plancher. Sur les murs sombres de la piquerie désaffectée, les graffitis illisibles se mêlaient aux taches et à la saleté. La position du bras tendu portait tout naturellement le regard à se poser sur le sol jonché de débris où traînaient quelques seringues, condoms usagés et même une boîte de Cracker Jack vide.

La barbe mal rasée, une tenue vestimentaire débraillée et le faciès plutôt ingrat du dernier usager des lieux complétaient ce tableau d'autant plus désagréable que l'odeur fétide n'allait réconcilier personne avec l'endroit. Ce lupanar constituait somme toute un bien triste exemple pour notre jeunesse et les médias ne manqueraient pas de nous exposer minutieusement tous les détails morbides, tout en faisant mine de s'indigner devant ce nouvel épisode des méfaits de la drogue.

Je pris la main inerte du corps, y plaçai un stylo et signai le formulaire. Puis je plantai une seringue dans l'avant-bras du quidam et quittai l'endroit sans autre forme de cérémonie. Je ne pus m'empêcher de me féliciter. C'était vraiment du travail bien fait.

3

Mardi soir, 22 h 27.

Cher journal,

Je me permets d'écrire au présent, de façon à pouvoir revivre les événements de la soirée.

Il me regarde d'un air défiant, le bras bien serré dans l'étau. Je lui scie un autre doigt, le majeur cette fois-ci. J'espère qu'il saisira le message.

Je lui offre encore de signer. Il refuse.

Il crie décidément un peu trop fort, m'injuriant à tort et à travers. Cet homme ne se possède plus, mais à sa décharge je dois admettre qu'il éprouve une douleur certaine. Bon prince, j'abrège ses souffrances d'un coup de scie ronde salvateur.

J'arrête un peu pour souffler et une rapide investigation des lieux me pousse à conclure qu'il est inutile de simuler un suicide ou un accident. Laissant libre cours à ma créativité, je décide donc que ce sera l'œuvre d'un détraqué.

Tel un Rodin, j'entreprends mon travail et concentre toute mon attention sur le pileux poitrail. J'en extirpe soigneusement le contenu, que je sème ensuite au gré de ma fantaisie qui sur un mur, qui sur un meuble, qui dans le tiroir à viande du congélateur.

Je poursuis méthodiquement ma mascarade à l'aide du petit canif qui se fait tantôt bistouri, tantôt scalpel; tantôt grattoir, tantôt hachoir. Je me laisse émouvoir par cette merveille de miniaturisation. Les Suisses ne forment peut-être pas le plus intéressant des peuples mais rendons-leur justice : quand il s'agit de dépecer, il faut bien reconnaître que leurs canifs se démarquent nettement.

Une chose me titille toutefois. Sans hésiter je dégage le minuscule ciseau de son compartiment et taillade méticuleusement les poils qui lui dépassent du nez et des oreilles, car je suis extrêmement pointilleux en ce qui concerne la propreté corporelle.

Fichtre ! J'allais oublier cette satanée signature. Je dois d'abord trouver sa main droite, ce qui n'est pas évident. Ensuite, je dois la nettoyer, prendre un stylo et lui faire signer le formulaire.

Je m'accorde une pause bien méritée pour admirer le fruit de mon labeur. C'est fou ce qu'on ressent devant un homme qui vient de passer outre. On a vraiment l'impression que le corps s'est figé entre deux mouvements, avec la bouche entrouverte qui semble vouloir nous dire quelque chose. Celui-là, on aurait dit qu'il allait encore s'obstiner. Et pourtant il ne s'obstinerait plus. Jamais.

4

Mercredi soir, 21 h 12.

Il ne s'est pas présenté à notre rendez-vous.

Qu'est la politesse devenue ? L'a-t-on définitivement remplacée par l'ingratitude et la désobligeance ? Je crois que notre société est beaucoup trop permissive. En tout cas, dans ma famille, on connaissait le sens du mot discipline, et les règlements étaient toujours appliqués avec célérité par mon père, disparu dans des circonstances inexpliqués et dont notre fidèle Cachou avait déterré un avant-bras avant de finir enfoui à ses côtés. Ah papa, pourquoi avais-tu refusé de signer mon bulletin ?

Il ne s'est pas présenté à notre rendez-vous. Cela me froisse.

Je ne suis pas certain, mais je crois avoir détecté un accent chez cet homme. Avant que l'on me taxe de racisme, je tiens à préciser qu'il faut faire attention aux jugements de valeur portés sur les étrangers. Malgré les apparences, ce sont des gens comme vous et moi.

Je prétends que tous les hommes naissent égaux. C'est dans la mort qu'ils se différencient.

Jeudi soir, 22 h 24.

Cette fois, il est venu. Je l'ai quitté voilà une heure à peine.

Nous avions pris un nouveau rendez-vous, et malgré ses excuses j'allais lui faire payer son manque de savoir-vivre. L'arme du châtiment : la corde de nylon. Le nylon donne souvent des tissus plutôt inconfortables, mais force est d'admettre que son élasticité n'a pas son pareil pour écourter l'espérance de vie.

Avertissement : Cette portion de journal contient des passages qui pourraient déplaire à certaines âmes sensibles. Je tiens toutefois à faire remarquer que si notre homme avait fait montre d'un peu plus de collaboration et de bonne volonté, rien de cela ne serait arrivé. Ou presque.

Il était là, devant moi. En chair et en os.

Son attitude me déplaisait.

— Faites vite, je suis pressé.

Je l'étais également.

— Signez ici.

— Je signerai lorsque j'aurai les documents.

— La procédure est claire : il faut signer avant.

— Va te faire foutre !

Je lui indiquai la chaise.

— Asseyez-vous.

— Ici ?

Où voulait-il que ce soit ?

— Ici.

Je lui enroulai le fil de nylon autour du cou.

— Que faites-vous ?

Décidément, il ne comprenait rien.

— Je vous enroule un fil de nylon autour du cou.

Il ne répondit pas. Il commençait à s'agiter. Je lui indiquai le seau d'eau.

— Penchez-vous.

— Pourquoi ?

— Vous êtes pressé ?

— Bien sûr !

— Moi aussi. Penchez-vous.

Il haussa le ton.

— Non mais je vous ordonne de...

Il n'eût pas le temps d'ordonner bien longtemps puisque je serrai la corde tout en plongeant sa tête sous l'eau.

Même avec la tête immergée, il continuait à parler, malgré le côté futile de la chose. Il se donnait grossièrement en spectacle avec sa mauvaise imitation d'un monstre lacustre. Les gens gaspillent trop souvent leur énergie à la mauvaise place mais, enfin, je suppose que cela fait partie des petits travers de notre espèce.

Il se débattait. Cela me donna l'occasion d'observer un phénomène qui m'étonnera toujours : comment se fait-il que, systématiquement, l'homme qui est en train de se faire étrangler s'en prend à la corde qui l'étouffe mais jamais à la main qui la serre ? Tous ses efforts visent à insérer un doigt entre la corde et le cou alors qu'un bon coup de coude dans l'entrejambe et hop, le tour serait joué.

M'entendait-il réfléchir ? Une chose est certaine : le coup de coude que je reçus dans l'entrejambe me fit effectivement relâcher la corde. J'aurais pu me choquer. J'aurais pu me venger. J'aurais pu profiter indûment de sa position pour le moins précaire. Mais ce serait mal me connaître : je ne suis pas de ceux qui perdent la maîtrise de leurs émotions à la moindre rebuffade. N'empêche qu'il allait payer pour ça, le sale.

Il ressortit sa tête de l'eau sans que je l'y invite. Il beuglait comme un dodu porcelet qu'on mène à l'abattoir et dont les flancs rôtis embaumeront nos petits déjeuners.

J'allais donc me voir dans l'obligation de réduire l'efficacité de ses cordes vocales, qui devaient bien valoir celles de trois ou quatre Helmut Lotti.

Bien que bref et efficace, le sectionnement de la trachée cause des dégâts dont on ne parle pas assez. J'avais un jour empalé un homme avec une tige de métal chauffée à blanc et j'observai exactement le contraire : une agonie prolongée mais aucune trace qui subsiste. Du propre ! Mais ne me demandez pas de prendre position dans le débat qui oppose l'égorgement à l'empalement, puisque chaque méthode comporte ses avantages et ses inconvénients. Cela reste d'abord et avant tout une question de jugement et de gros bon sens.

Je l'entendais moins. Il était temps que ce tintamarre inapproprié prenne fin : ma patience a tout de même des limites. J'ai déjà fait appel aux forces de l'ordre pour moins que cela, mais cette fois je préférai faire preuve d'un peu plus de tolérance.

Certains êtres humains ne révèlent leurs qualités que lorsqu'ils sont poussés dans leurs derniers retranchements. Celui-là était tenace. Ses gémissements successifs me firent soudainement monter les larmes aux yeux. Ils me rappelaient une scène du film *Love Story* où la bouleversante Ali McGraw, atteinte d'un cancer incurable, s'éteint sous le regard incrédule de son amant. Voilà le genre d'histoire qui me fait vibrer. Car au risque de passer pour fleur bleue, j'admets avoir un petit faible pour les films romantiques, surtout ceux où le personnage principal meurt à la fin.

Mon moribond vibrait lui aussi. Allais-je le laisser mourir de sa belle mort ou opterais-je pour l'euthanasie ? Dilemme. Je m'apprêtais à trancher — littéralement — lorsque l'imprévisible personnage exhala son dernier soupir, sans toutefois que le Ryan O'Neil qui sommeille en moi s'émeuve de sa disparition.

Je n'avais donc plus qu'à ramasser mes effets personnels et m'en retourner au plus vite chez moi, car j'allais rater mes nouvelles du sport, et Dieu sait que j'ai de la difficulté à trouver le sommeil lorsque j'en suis privé.

Avant de partir je devais prendre un stylo et lui faire signer le formulaire que je me chargerais de remplir ultérieurement. Mais, à ma grande surprise, le voilà qui se met à sursauter à quelques reprises puis à se déplacer vivement de tous les côtés. Et après un court répit, encore quelques sursauts suivis d'une autre série de mouvements saccadés. Décidément, cet homme me faisait penser à une truite, bien que cette dernière morde moins facilement à l'hameçon.

Sa respiration reprit d'un rythme discontinu. Il me fallait agir vite. Je lui sectionnai prestement l'appendice pénien et le lui fit avaler.

Je sais à quel point l'évocation d'un homme qui avale le symbole de sa masculinité peut choquer, en plus de laisser un goût amer dans la bouche. Mais qu'on me comprenne bien : je réprouve toute agression s'apparentant à la boucherie, que je considère indigne du genre humain. Et c'est justement parce que cela me répugne que je le fais. C'est très utile pour brouiller les pistes.

Je lui enfonçai donc l'objet de votre convoitise, mesdames, jusqu'au fond du gorgoton — vous me permettrez l'emploi de ce joli québécisme. Poussé par une curiosité toute circonstancielle, je ne pus m'empêcher au préalable d'y goûter (mais comme une épouse, du bout des lèvres). À mon

grand soulagement, je n'éprouvai aucune sensation parti-
culière. Le verdict était clair : en matière de sexualité, je suis
résolument végétarien.

D'un geste empreint de magnanimité, je l'achevai avec
mon pic à glace. Cette fois-ci, il demeurerait immobile, ce
qui ne manquerait pas de lui faire le plus grand bien. Dire
qu'en d'autres circonstances il aurait pu être mon ami.

6

Vendredi après-midi, 16 h 32.

Demain ce sera jour de repos. Grasse matinée. Café au lait avec brioches. Boudin frais. Je pourrai enfin m'offrir un brin de détente bien méritée. Mais je veux te raconter, cher journal, la rencontre que je viens de faire, il y a quinze minutes à peine.

— Comment puis-je vous être utile ?
L'homme n'était pas content :
— Ah, ce n'est pas trop tôt. Ça fait trois heures que j'attends en file !
— Je suis désolé mais nous fermons, monsieur.
— Trois heures à attendre que des fonctionnaires se réveillent ! Vous trouvez ça normal, vous ?
J'allais lui répondre par l'affirmative mais il enchaîna :
— Je paie mes taxes, moi, monsieur. Et je travaille, moi.
Je souris poliment.
— C'est toujours très occupé le vendredi, monsieur.
— Quel service... J'ai perdu une journée complète de travail et pourquoi ? Pour me retrouver devant une bande d'incompétents incapables d'émettre un vulgaire permis de chasse le jour même !
— Attention, monsieur, vous n'avez pas le droit d'insulter un commis de l'État, code d'éthique page trente-sept, alinéa deux.
— Ah oui et qu'est-ce que je risque ? Que ça me coûte

un bras?

— C'est le minimum. Mais j'ai peut-être une solution.

— Tiens donc! Un fonctionnaire qui a une solution. Vous congédier peut-être?

Il rayonnait. Je fis mine d'apprécier le mot d'esprit.

— Je pourrais vous apporter votre permis ce soir et vous n'auriez pas à revenir lundi.

— Vous vous déplacez?

— Parfois. Vingt heures, cela vous convient?

— Parfait.

— Alors, rejoignez-moi dans la ruelle à l'arrière de l'auberge Bed-Inn. Il s'y trouve un établi désaffecté.

— La ruelle du Bed Inn?

— Oui. Et pas un mot, je compte sur vous. C'est un service que je rends à titre personnel.

— C'est bien. Alors, à ce soir.

— Maintenant, pourriez-vous signer ce formulaire indiquant que vous avez bien reçu votre permis? Le règlement exige votre signature en main propre pour fermer le dossier.

— Je ne signerai rien sans avoir mon permis.

— Comme vous voulez. Vous savez, monsieur, on finit toujours par signer. Je vous laisse quand même une dernière chance?

Il refusa de s'exécuter. J'allais m'en charger.

7

Les deux policiers étaient assis en face de Marcel Laporte-Blouin. Le plus petit menait l'interrogatoire, tout en caressant sa moustache.

— Jusqu'à maintenant, nous avons réussi à vous attribuer dix-sept meurtres, plus les quatre que vous avez commis la semaine passée. Des meurtres parfaits, toujours à des endroits différents, que vous avez souvent maquillés en suicide ou en accident, et qu'on ne pouvait relier les uns aux autres. Si vous n'aviez pas oublié ce journal intime sur votre bureau, on n'aurait jamais pu résoudre les crimes.

Il fit une pause puis ajouta :

— C'est cela.

Le fonctionnaire écoutait distraitement.

— De plus, derrière la maison de votre vieille mère, on a déterré ce matin les squelettes d'un homme et d'un chien... N'éprouvez-vous donc aucun regret ?

Il répondit machinalement :

— Oui. Qu'il ait refusé de signer mon bulletin.

Le policier tendit une déclaration d'une main et un stylo de l'autre, délaissant par le fait même sa précieuse moustache.

— Signez ces aveux.

— Je ne signerai rien.

— Le règlement exige votre signature.

— Le règlement exige la présence de mon avocat.

— Permettez-moi d'insister.

— Permettez-moi de vous envoyer paître.

— Comme vous voulez. Vous savez, monsieur, on finit toujours par signer.

ALAIN CHAPERON

Une aventure de Sensuel Man

Alain Chaperon

Alain Chaperon habite à Joliette où on l'oblige à enseigner le français et le théâtre. Auparavant, il a fait plusieurs métiers, souvent bizarres, mais jamais payants. À vingt-deux ans, il commence à écrire et commet quatre pièces de théâtre coup sur coup. Il s'arrête brusquement et recommence X années plus tard pour raconter l'histoire d'un jeune homme qui tousse et qui perd ses membres pendant que son père se fait bouffer par ses meubles. Il n'a jamais compris pourquoi aucun éditeur n'en a voulu. Être publié aujourd'hui le remplit de joie ; ce sera la preuve qu'il a déjà existé.

Chapitre 1

MONIQUE TÂCHAIT D'OUBLIER la pénible soirée de la veille. Elle lavait la vaisselle en sifflotant l'air d'une chanson de Bruno Pelletier. Et elle rêvait de cathédrales qui s'érigeaient pour oublier la performance décevante de Gaston. Elle n'était pourtant pas gourmande. Elle espérait le faire deux ou trois fois par mois, sans plus. Pourtant non, il réussissait toujours à s'endormir pendant l'acte. Pour l'instant, Bruno Pelletier la consolait, mais la chanson ne durerait qu'un temps et bientôt Monique devrait de nouveau faire face à la réalité, à ce chaudron dans lequel les patates avaient pris au fond. La femme soupira, elle s'efforça de fixer son esprit dans le vide.

Son mariage lui revint en tête. Elle avait connu Gaston à vingt ans. Elle s'était acheté une Pinto deux semaines plus tôt et s'était présentée au garage pour faire installer ses pneus d'hiver. Gaston s'en était chargé. Il faisait alors cent livres de moins et n'avait pas encore commencé à renifler à tout bout de champ ni à se gratter les parties sans arrêt. Il s'efforçait d'être poli et n'échappait pas ses gros rires épais ou ses innombrables jurons qui ont depuis fait sa marque de commerce. En résumé, avec le temps, Gaston était devenu gros et laid. « Si au moins il se lavait... » soupirait Monique.

La chose eût encore été supportable s'il avait continué à être attentionné avec elle, mais ce n'était pas le cas. Il exigeait ses pogos dès qu'il arrivait à la maison, peu importait l'heure. Il ne possédait qu'un vocabulaire anémique, mais il n'en manquait pas pour trouver des qualificatifs qui affligeaient son épouse.

— Eille, la torche! Tu ressembles à une autruche malaisienne avec ta robe! lui disait-il en substance.

Évidemment, il n'aurait su dire ce qu'était la Malaisie, ce charmant petit pays d'Asie du Sud-Est, mais il trouvait ce genre d'insultes super drôles et les lançait en rafale sur sa pauvre épouse aussi peinée que meurtrie.

— Oh! J'aimerais tellement ça trouver que c'est jusse un écœurant, mais j'ai pas le droit de penser ça, c'est mon mari, se répétait-elle à longueur de journée, de mois, d'année, de vie. Câline que c'est pas le fun! ajoutait-elle en jetant son chiffon avec rage.

Monique était encore une belle femme. Ses deux mentons et sa moustache naissante importaient peu pour celui qui savait y regarder. Bien sûr, ils n'étaient pas légion ceux-là, mais il s'en trouvait un ou deux par an pour lui dire:

— T'es belle pareil! Faut pas croire ce que disent les autres.

Ce genre de témoignages lui faisait du bien mais, sans qu'elle sache pourquoi, cela ne suffisait pas à lui redonner la confiance de ses vingt ans.

La vaisselle terminée, elle alla cueillir le vieil album photos de son mariage. Les deux pages étaient pleines à craquer de souvenirs merveilleux. Une larme nostalgique vint mouiller sa joue lorsqu'elle se revit dévoilant sa jarretelle sous les yeux extasiés de tous ses oncles réunis. Comme on l'aimait à l'époque. Elle n'avait qu'à se pointer le bout du nez pour qu'un vent de bonne humeur se répande et que des rires fusent d'un peu partout. C'était la période bénie de sa féminité, celle où elle accueillait avec sérénité les regards envieux de tous ces hommes qui l'avaient désirée sans l'avoir. À l'époque cependant, il n'y avait que Gaston qui comptait. C'était à lui qu'elle voulait offrir sa vie... «Maudit que j'étais niaiseuse!» sanglota-t-elle.

Elle rangea l'album, encore plus malheureuse qu'en l'ouvrant. En passant par le salon, elle remarqua, sous la causeuse, un soulier de femme qui dépassait. Un soulier vert... Son cœur se serra. «Oh non! Je ne veux pas être la nouvelle Lynda Lemay. Le monde en a assez d'une de même...» Monique se saisit malgré tout de l'intrus. Il n'y avait aucun doute, ce n'était pas à elle. Peu après, elle découvrit l'autre sous le meuble. Elle en était certaine: Gaston la trompait.

Dans un premier temps, elle ne comprit pas. Jamais elle ne s'était refusée à lui malgré les nausées qui l'envahissaient parfois sans qu'elle ne sût trop bien pourquoi. Mais soudain, se fixant dans le miroir, tout s'éclaira: sa jaquette de flanellette était à moitié décousue, sa coiffure était démodée et ses sandales acumassage ne passaient même plus à la télévision. Monique se sentit laide, moche, passée date. Elle se détestait. «En plus, ça doit être une pitoune du genre Lise Watier, j'ai aucune chance», dit-elle, comme pour ajouter à ses malheurs.

Ce ne fut pas tout. Tendant le bras sous le fauteuil, elle mit la main sur une lettre d'amour enflammée que sa maîtresse, une certaine Françoise, avait adressée à son homme. Les termes étaient on ne peut plus explicites, la traîtresse décrivant avec moult détails tous les vertiges de ses orgasmes.

— Chus sûre qu'a fake, pensa-t-elle.

Elle imaginait mal son Gaston faire ressentir quoi que ce soit à quelqu'un avec les grognements bovins qu'il échappait pendant l'acte. Malgré tout, cette nouvelle révélation la consterna plus que jamais... Et si c'était elle qui n'avait pas été assez habile?

Elle n'en pouvait plus. Dégoûtée, écœurée, elle ne lut la lettre qu'à moitié et la brûla aussitôt. Elle courut jusqu'à sa chambre et pleura, pleura et pleura encore. Épuisée, elle s'endormit. Là, au moins, elle pourrait rêver à Bruno Pelletier et, peut-être, qui sait? irait-elle jusqu'à le serrer dans ses bras amoureux. Malheureusement, elle ne réussit à rêver qu'à Richard Abel. «C'est mieux que rien», se dit-elle en se réveillant. C'était un peu ce qui faisait sa force: elle se contentait de ce qu'elle avait. «J'fais pitié, mais chus quand même plus chanceuse que Lady Diana.» C'était son leitmotiv, elle trouvait son énergie dans cette pensée, superbe d'abnégation.

Une fois debout, elle promena sa douleur jusqu'au salon. La lumière du répondeur clignotait. Dans son sommeil, elle n'avait pas entendu la sonnerie du téléphone. Elle appuya sur PLAY, c'était la voix de Gaston:

— Écoute, chose, j'viendrai pas coucher. J'ai euh... une grosse partie de cartes... C'est ça, j'ai une grosse partie de cartes avec les chums, ça fait qu'attends-moi pas avant dimanche. Salut, pis fais pas une folle de toi pendant que j'serai pas là.

Une immense rage envahit tout le corps de la pauvre femme. D'un pas ferme et décidé, elle s'avança vers les armoires de la cuisine. Elle les ouvrit, se saisit d'une assiette et la leva jusqu'au bout de ses bras.

— Non, pas celle-là! C't'un cadeau de meman...

Elle en prit une autre et la laissa tomber au sol. Elle ne se fracassa pas. Une main charitable l'avait attrapée avant qu'elle n'atteigne le plancher. Au bout de cette main se tenait un homme remarquablement beau. À côté de lui, Kevin Parent avait l'aura de Fernand Gignac. Face à lui, Roch Voisine se serait couvert de ridicule tant leur beauté ne se comparait pas. Sa figure était un mélange de franchise, de pureté et de virilité. Son corps mariait la carrure d'Arnold et la grâce énigmatique d'Andrea Boccelli.

Sur ce corps divin, on retrouvait pourtant un costume un peu bizarre. L'homme était vêtu d'un collant et d'un maillot de corps d'un magnifique jaune doré. Il avait une cape noire, un caleçon de la même teinte qui laissait deviner quelque chose de pas pire pantoute et de superbes bottes argent. Le vêtement s'accouplait harmonieusement à l'anatomie étonnante du personnage. Sur son torse, deux lettres énigmatiques : *S. M.* « Serait-ce un sado maso ? » se demanda la douce femme.

— Casser votre vaisselle ne vous servira à rien, gente et belle dame, dit-il.

— Z'êtes qui, vous ?

— On m'appelle Sensuel Man. Je suis là pour vous servir.

Chapitre 2

C'était un samedi. La journée était superbe, Monique et Sensuel Man venaient de vivre quatre heures d'ivresse amoureuse. Douze fois elle avait atteint l'orgasme avant que le surhomme ne daigne faire de même. Tous les gestes de l'Adonis avaient été douceur et puissance, rage amoureuse et méthode Nadeau. Une fois la chose faite, il avait dignement retiré le condom grouillant de Sensuel Kids en pleine santé. Aussi, il lui avait expliqué sa mission :

— Tu sais, pauvre petite Monique, je ne serai là que le temps d'un week-end. D'autres malheureuses ont besoin de moi. Je n'y suis que pour te diriger vers la liberté. Trop longtemps tu fus esclave d'un homme cruel, hypocrite, vaniteux, insensible, adultère, gros, gras et... et... *et cetera*. Voilà le temps venu de voguer vers ton bonheur, ta vérité. Voici le temps où toi aussi tu auras droit de choisir un homme bon, généreux et fidèle. Ce ne sera pas moi, tu ne peux pas tout avoir tout de même... Mais il existe encore des hommes bien. J'ai d'ailleurs avec moi une liste de ceux qui te sont dignes. Tu seras peut-être obligée de déménager, car il n'y en a guère dans le coin, mais je te l'ai dit, tu ne peux quand même pas tout avoir.

D'un geste gracieux, il lui remit cette liste entourée d'un superbe ruban noir et jaune doré.

— C'est trop, monsieur Sensuel Man! avait aussitôt répondu Monique.

Elle était transformée, transfigurée par l'amour et la tendresse. Ses cheveux ondoyaient sur ses épaules en une symphonie de formes courbes et élégantes qui traduisaient l'immensité de son bonheur et l'infinité de son bien-être. Ses yeux mouilleux et profonds témoignaient de sa vivacité neuve et pure, de son admiration idolâtrique pour son sauveur, son révélateur. Enfin, vous voyez un peu le tableau, un bon dictionnaire des synonymes vous laissera deviner le reste.

— J'ai les jambes mortes, finit-elle par avouer.

— Laisse-moi les revigorer avec un massage à base de Palmolive. Tu m'en donneras des nouvelles.

Et ce fut une nouvelle heure de totale volupté. Jamais elle n'avait connu de mains plus douces, de gestes plus enveloppants. Jamais elle n'avait été si détendue. Jamais elle n'avait tant senti le citron.

Par la suite, Sensuel Man réserva une surprise peu commune à son élue. Au sortir d'un bain aux algues du Saint-Laurent, il couvrit son élève de ses bras puissants et, nus tous les deux, superbes d'innocence, ils s'envolèrent dans le salon. Bien sûr, ce n'était pas tellement haut, mais il ne s'agissait que d'une initiation et, après qu'ils eurent survolé la pièce pendant quarante minutes de félicité, Sensuel Man ouvrit une fenêtre et les deux amants filèrent vers le ciel. Ils passèrent au-dessus de vallées infinies, de canyons sans fond et de montagnes inoubliables.

— C'est beau en tabarouette, dit Monique, folle de bonheur. C'est aussi extraordinaire que *Titanic*. C'est trop pour moi.

— Rien n'est trop beau pour toi. Cesse de te mésestimer. À côté de ta beauté intérieure, Claudia Schiffer est un laideron et Julie Snyder une petite énervée qui ferait n'importe quoi pour augmenter ses cotes d'écoute.

— Pis ma beauté extérieure, elle?

— Oh! Monique, regarde le magnifique cumulonimbus que nous dépassons...

Et ce ne fut que féerie jusqu'à dix-neuf heures, moment du souper. Pour l'occasion, le surhomme avait préparé une recette étonnante mais attirante de par son nom : un panaché de gnou aux bananes et asperges.

Ce mets si raffiné cultiva en peu de temps les papilles ignares de Monique. Elles n'étaient habituées qu'au steak haché mi-maigre de chez Métro et qu'à son spaghetti italien sauce maison (par ailleurs très bon, mais sans surprise). Éblouie par la recette que le demi-dieu avait préparée en un temps record, la femme exprima sa reconnaissance gustative en des termes naïfs, mais tellement mignons.

— Han... J'ai jamais goûté à une affaire de même...

— Ne me remercie pas, belle dame, répondit humblement le héros. Ce repas de prince n'est pas à la hauteur d'une reine comme toi.

Émue jusqu'aux larmes par ce sublime compliment, la chanceuse laissa en plan son somptueux repas pour embrasser goulûment son sauveteur. Celui-ci se laissa dévorer avec plaisir. Il savait qu'il ne servait à rien de freiner l'appétit trop souvent étouffé de Monique, et ce, même s'ils n'avaient pas encore attaqué le dessert. Aussi il accompagna le feu amoureux de son amante par de petits chatouillis qui eurent pour effet de l'exciter davantage. «Arrêtez, grand fou!» ne cessait-elle de lui répéter. Dans son for intérieur cependant, elle gémissait avec passion: «Continue, continue, ça s'en vient!»

Le vin, le dessert, le digestif avaient été pures merveilles dans cette journée sans tache. Ensuite, comme apéritif à la nuit torride qui s'annonçait, ils regardèrent *Bleu Nuit*. Emmitouflés dans une couette, collés comme de jeunes amoureux, les mains instables cherchant sans cesse la caresse nouvelle, imaginative ou coquine, les deux amants finirent par s'endormir. Réveillés par le grésillement du feu de foyer de Télévision Quatre Saisons, ils firent l'amour dans le salon de façon sauvage, animale, mais toujours correcte et sans geste déplacé. Peu après, ils essayèrent la table de la cuisine, le tapis de la salle de lavage et l'armoire à balais. Ils terminèrent le tout dans le lit de Monique sur le coup des six heures du matin.

— Méchant étalon! lui dit-elle avec un sourire admiratif.

— Méchante écuyère! lui répondit-il en bon cavalier.

— Oh! J'm'endors... J'pense que j'vas tomber dins bras de Murphy.

Chapitre 3

Monique se réveilla à deux heures de l'après-midi. Son chevalier n'était pas à ses côtés. Elle pensa qu'il devait être en train de préparer le petit déjeuner. Au bout d'un temps, elle l'appela d'un cri doux. Pas de réponse. Elle recria; toujours aucune réponse. Elle se leva, fit le tour de la maison; Sensuel Man était parti. Elle se prit la tête entre les mains et se mit à pleurer. Des gestes de désespoir secouaient sa large chevelure.

— Se pourrait-il que tout cela ne fût qu'un rêve? soupira-t-elle entre deux sanglots.

Puis, soudainement, elle fut très étonnée de ce qu'elle venait de dire. C'était en effet la première fois qu'elle utilisait un imparfait du subjonctif. Malgré l'absence du surhomme, son enseignement commençait à porter. C'était aussi la preuve qu'elle n'avait pas imaginé tout cela. Malheureusement, la constatation ne la soulagea qu'à moitié.

— Diantre que je suis tarte! Je n'aurais jamais dû m'endormir.

Elle releva la tête et vit sur la table de la salle à manger le petit-déjeuner que l'Apollon lui avait préparé. Dans son énervement, elle ne l'avait pas vu. Un petit carton se tenait debout près du repas. Il s'adressait à elle. Elle le lut:

Non, tu n'es pas tarte, douce et belle Monique
Je reviendrai, n'aie crainte, femme de mes rêves
Tes tourments méritent une fin, non une trêve
Et je dois, pour toi, faire une lutte héroïque
Oh non! Je ne te laisserai pas longtemps seule
Mais à ton sale époux, je dois casser la gueule

Sensuel Man

À cet homme sans défaut s'ajoutait un poète brillant, sensible et engagé. «Que je suis chanceuse de l'avoir connu!» se disait-elle. Elle n'était pas sûre de le mériter, mais elle savait désormais une chose: elle valait mieux que son Gaston, ce gros phacochère à l'haleine canine, aux gestes sans grâce, aux cheveux à la WD 40. Qu'elle le veuille ou non, sa vie allait changer. La visite du super héros avait modifié trop de choses pour qu'elle accepte les aberrations du passé. La mission de Sensuel Man était déjà à moitié réussie.

— Youpi pour Sensuel Man! cria-t-elle de toutes ses forces.

Le souffle de cette délivrance se répandit à des milles à la ronde, ce qui réjouit notre sympathique héros qui n'était qu'à trois kilomètres de là. En fait, au même moment, il se tenait debout devant ce dégueulasse de Gaston et sa salope de maîtresse, la cruelle Françoise. Il les avait surpris en pleine séance d'amour bestial dans le lit de la femme. Étonnés par l'arrivée du surhomme, les deux affreux s'étaient redressés pour observer l'intrus. Les deux étaient bouches bées devant un tel spectacle. Françoise était subjuguée par la beauté de ce demi-dieu et Gaston itou. Feignant le mépris, ce dernier fut le premier à parler :

— Qu'est-ce tu fais icitte? C'est pas l'Halloween aujourd'hui! Anyway, les bonbons, j'les garde pour Françoise. Retourne donc chez ta mère!

— Laisse ma mère en dehors de tout cela, espèce de sanglier sans grâce! Sale chien au cœur de vipère! Et pense plutôt à la tienne! Que dirait-elle de te voir ainsi avec ton amante, la cruelle Françoise, alors que tu laisses ta pauvre et douce femme seule dans ta maison envahie par la laideur de tes gestes, de ton indifférence et de ton char? Cette maison est souillée à jamais par l'odeur nauséabonde de ta méprisable conduite!

— Wo bonhomme! répondit la brute. J'te permettrai pas d'insulter mon char de même. C't'une Cavalier que j'ai!

— Qu'à cela ne tienne, tu as déjà fait trop souffrir ta Monique. Je suis ici pour régler ton cas!

Gaston demeura figé par la peur. Craintif, il ne se voyait pas affronter cette montagne de muscles d'un mètre quatre-vingt-dix et de quatre-vingt-dix kilos. Il en perdit son dentier qui trouva refuge entre les deux grosses cuisses poilues de la cruelle Françoise.

À ce moment, les deux hommes se fixèrent dans les yeux. La tension était palpable. La guerre des nerfs était commencée. C'était la pureté contre la crasse, la beauté contre l'hypocrisie, les Canadiens contre les Red Wings. Par sa passivité, Gaston voulait amener Sensuel Man à s'énerver, à précipiter ses gestes et à commettre la première erreur. Ce que le super héros ignorait, c'était que Gaston camouflait un couteau sous les draps. Il s'en servait pour assouvir certains de ses instincts sexuels malsains et pour peler ses pommes. D'un autre côté, ce que le gros pourceau ne savait pas, c'était que Sensuel Man avait appris la patience et la force tranquille au cours d'un stage d'observation de trois semaines chez des moines tibétains.

Pendant deux minutes interminables, les ennemis s'observèrent sans faire un seul geste. La tension était à son comble, des gouttes de sueur perlaient au visage angoissé et porcin de Gaston. La cruelle Françoise, quant à elle, ne se lassait pas d'admirer le corps hallucinant du super héros. Dans son en-dedans intérieur, elle désirait qu'il ne fasse qu'une bouchée de son amant pour qu'ensuite il la prenne là, sauvagement, dans son lit. C'était mal le connaître. Elle eût été un canon de beauté aussi reconnu que Cindy Crawford ou Marie Carmen, il n'aurait rien éprouvé pour elle tant sa conduite et sa personnalité l'écœuraient.

N'en pouvant plus, Gaston, au bord de l'arrêt cardiaque, sauta vers Sensuel Man. Il brandit son couteau et le dirigea vers le cœur de notre sympathique ami. C'est là qu'une main ferme et forte le saisit au poignet. D'une simple pression, Sensuel Man fit tomber l'arme au sol. Désarmé, Gaston se sentit tout nu, ce qu'il était effectivement. Cherchant une façon de s'en sortir, le mécréant amorça un mouvement du genou pour frapper le surhomme sous la ceinture. Ce fut une erreur. Se servant de ses réflexes félins, Sensuel Man para le coup de façon experte et, à la faveur d'une spectaculaire prise de judo qu'il avait apprise au cours d'un stage d'observation de trois semaines chez des moines tibétains, il projeta l'hypocrite contre le mur de la chambre. Gaston ne se releva plus.

Admirative, la cruelle Françoise offrit alors son corps nu au vainqueur. D'une moralité sans faille, celui-ci y alla de paroles coup de poing :

— Tu n'es pas digne d'un seul regard, cruelle Françoise. Comment peux-tu croire qu'un héros tel que moi puisse être attiré par une dévergondée de ton espèce ?

Désarçonnée, la guidoune lui asséna immédiatement un argument massue :

— O.K. ! Chus p't'être pas belle, mais chus cochonne en maudit, par exemple.

— Eh bien, reste dans ta porcherie ! répondit-il, cinglant.

Sur ce, la cruelle Françoise fondit en larmes, défaite, détruite. En un éclair, elle avait compris toute l'ignominie de sa conduite. On aurait dit que toute l'humanité qu'elle avait enfouie en elle refaisait surface et lui éclatait en plein visage. Comme il lui faisait mal tout à coup de se voir comme elle était : une grosse pas fine sans morale, avec des mœurs dissolues et plein d'autres affaires qui n'ont pas de bon sens. Comme elle regrettait d'avoir passé les vingt dernières années de sa vie à détruire celle des autres en leur volant maris et amants. Oui, elle était laide, elle l'acceptait désormais. Et il avait fallu que ce soit l'homme dont elle avait toujours rêvé qui la révèle à elle-même et fasse ressortir ses quelques bontés qu'elle avait cachées depuis trop longtemps. Oh non ! Elle ne pouvait lui en vouloir d'avoir dit la vérité. En fait, il l'avait sauvée d'elle-même. Dès cet instant, elle n'aurait de cesse de se rattraper et de chercher le pardon de ses victimes. C'était décidé, elle serait religieuse.

Le salaud était knock-outé, banni de la vie de la nouvelle Monique; la cruelle maîtresse était repentante et transformée; Sensuel Man avait remporté la seconde manche. Il ne lui restait, comme apothéose à sa mission, qu'à clore en beauté son idylle avec sa conquête de la fin de semaine. Il devait la préparer à son départ et l'armer contre la méchanceté et/ou l'insensibilité des hommes. Son plan et son discours étaient prêts. Il prit son envol, fila à des vitesses supersoniques et arriva chez Monique.

Chapitre 4

Lorsqu'elle le vit apparaître, elle lui sauta au cou et le couvrit de baisers et de becs à pincette, ce que Sensuel Man adorait.

— Dis-moi que tu lui en as mis une! dit-elle d'entrée de jeu.

On voyait bien que c'était la nouvelle Monique qui parlait. Le ton était plus confiant, les paroles plus audacieuses, la voix moins criarde.

— Mets-en! lui répondit humblement Sensuel Man, qui ne voulait pas que ses exploits sportifs prennent le dessus sur ses dons amoureux. Et il n'est pas prêt de revenir, ajouta-t-il.

— Oh! Que je t'aime, Sensuel Man!

Voilà, le mot qu'il fallait taire était lâché. Les adieux du super héros seraient plus ardus qu'il ne croyait. En une fraction de seconde, il devait trouver les mots qui diraient clairement, sans blesser, imaginer la phrase qui la ferait renoncer sans déclencher en elle un torrent de pleurs. Soudain, il sut.

— Moi aussi je t'aime, magnifique Monique. Et notre amour, j'en suis sûr, ne fera que grandir. La grande affection que nous nous portons volera aisément au-dessus des années, car une amitié comme celle-là est faite pour durer pas mal longtemps. Oh oui! Comme il est bon de te connaître! Quelques mois encore, nous garderons en tête ces quelques moments furtifs, volés au temps. Bref, ç'a été pas mal bon, mais il faut que j'y aille à présent, il commence à être tard, y en a d'autres qui attendent, oublie pas ça! C'est pas le temps d'être égoïste pis de penser jusse à toi. J'te l'ai dit au début, que j'étais jusse là pour la fin de semaine, pis qu'après ça, y fallait que je parte. Fa que là, fais pas ta pas fine pis pense aux autres qui ont besoin de moi... Oh non! Qu'ossé ça? Dis-moi pas que tu pleures...?

— Oui, mais ce sont des larmes de reconnaissance, des larmes de bonheur. J'ai appris avec toi ce qu'était le grand vertige. Je sais aujourd'hui que je ne suis plus la même. Mon corps me le dit, mon esprit me le répète sans cesse et, quand mon idiot de mari sera hors de ma vie, mon compte en banque me le criera aussi avec insistance. Merci! Oh merci, homme bon! Je te dois plus que la vie!

— Tu ne me dois qu'une chose: ta parole que, doré-navant, tu mettras tous mes enseignements en pratique. Sans que tu le saches, pendant ton sommeil, je t'ai hypnotisée et t'ai appris la débrouillardise et la détermination. Désormais, tu n'as plus besoin de moi.

Un véritable héros, Monique s'en rendait maintenant compte, c'était celui qui sauvait l'âme d'abord, le corps ensuite. Oh oui! Sensuel Man faisait partie de cette race. Il en était sans doute le plus beau fleuron. Et c'est avec sérénité qu'elle vit venir le moment des adieux. Elle n'avait plus qu'une seule demande pour son messie:

— Avant de partir, je puis-je-tu te frencher encore?

— Je vais faire mieux que cela, répondit-il.

Et ce fut une nouvelle valse d'amour. Sensuel Man et Monique firent l'acte avec passion et menottes. Prévoyant, le surhomme voulait apprendre à son élève comment se libérer de ces embêtants petits objets. Effectivement, elle pouvait rencontrer un de ces odieux maniaques qui avilissent la femme par des jeux aussi malsains que sadiques. Ils prirent énormément de plaisir à essayer toutes les façons de se déprendre. Sensuel Man était non seulement un super héros hors normes, il était aussi un professeur qui faisait découvrir dans le rire et la joie. En effet, ils rirent beaucoup ; le portrait était superbe et amusant à la fois. Que de beautés se seraient alors offertes au spectateur de la scène.

Le moment des adieux définitifs s'annonçait déchirant. Comment combler ce vide que laisserait l'Apollon ? Il était certain qu'elle saurait survivre à son absence après avoir tant appris de lui, mais il lui manquait un signe, un souvenir, qui lui rappellerait que oui, il avait été là et qu'il ne l'oublierait pas. À cet instant, de sous sa cape majestueuse, il sortit un charmant petit chaton d'à peine six semaines. Il était tout de blanc vêtu, son poil long et soyeux invitait à la caresse. Non seulement la petite bête était déjà propre, mais elle était dégriffée et son lainage était si particulier que jamais elle ne le perdrait. Donc, pas de ramassage de poils fastidieux. Il était tout en jeu et en affection et il séduisit immédiatement la rayonnante Monique.

— Voilà pour toi, rayonnante Monique. J'ai pensé que ce petit présent pourrait être le symbole de notre attachement éternel. Sa blancheur représentera la pureté de notre lien, dit encore le poète.

— Merci à toi, homme superbe. Je l'appellerai Ti-Blanc... Je penserai à toi lorsqu'il s'excitera.

Sensuel Man ravala une larme. Il était ému en maudit. Sous ses allures viriles, il cachait un cœur capable de tant de choses que les nommer ici serait un exercice long et ennuyeux. Malgré son motton, il réussit à lui répondre avec grâce :

— Ah ben... C'est le fun...

Puis, quittant la maison dans un dernier au revoir déchirant, il déploya sa magnifique cape et il s'envola. Monique ne pleurait pas. Elle avait le cœur gros, certes, mais pour le moment, elle jouait avec Ti-Blanc et n'avait plus peur du lendemain. Une nouvelle vie s'ouvrait devant elle, enfin. Et lorsqu'elle se coucha, c'est avec bonheur qu'elle revit les menottes que son héros avait oubliées.

— All right! dit-elle avec un éclat spécial dans les yeux. Merci, Sensuel Man!

Chapitre 5

Le lendemain, Monique sifflotait gaiement en tricotant le chandail dont elle avait toujours rêvé. Ses yeux, son souffle respiraient le bonheur neuf et vierge. Son corps et son cœur chantaient la liberté retrouvée. Elle savait qu'elle ne la sacrifierait pour rien au monde. Elle était heureuse. La sonnerie du téléphone la sortit de son rêve.

— Dring! entendit-elle.

Elle décrocha. C'était Gaston. La gorge de la femme se noua.

— J'm'excuse! commença le salaud.

Puis, il se mit à sangloter:

— Je r'commencerai pus! J'ai compris, cré-moé, je r'commencerai pus! Mais laisse-moé pas tu-seul!... Mon amour, j't'aime! J't'aime en tabarnouche!

Les pleurs de l'homme troublèrent sa sensible épouse.

— Tu me jures que tu r'commenceras pas? demanda-t-elle d'un ton sceptique.

— Dis-moé pas que tu doutes de moé, mon p'tit lard?

— Mon p'tit lard... Tu m'as pas appelée comme ça depuis quinze ans... Viens à maison, on va en parler...

□

Vous êtes intrigués par ce mystérieux surhomme? Vous
voulez connaître les grandes missions accomplies par celui-
ci? Vous vous demandez si une de vos amies fut, elle aussi,
sauvée par ce valeureux séducteur? Ne manquez pas le livre
intitulé *Les aventures de Sensuel Man*. Il sera en vente dès
qu'un éditeur se déniaisera.

Aussi, du même auteur, découvrez les aventures du super
héros des personnes âgées, *Pépère Man*.

Déjà parus:

Le bingo de la dernière chance
Terreur au foyer
Les compressions infernales
Pépère Man contre les jeunes morveux
L'infirmière du diable
Le retour des jeunes morveux
L'alzheimer contre-attaque

À venir:

Euthanasie Blues

MARTIN THIBAUDEAU

La philosophie pour tous
par Sacha DeLadurantaye, philosophe

Je ne sais pas tout. Je n'ai pas, non plus, le secret de la vie.

SACHA DeLADURANTAYE

Martin Thibaudeau

Selon nos sources, cet enfant de l'impro aurait autrefois
tenu le rôle du grand au sein du défunt groupe d'humour
Les 4-Alogues. On soupçonne monsieur Thibaudeau
d'être un des cerveaux derrière les complots de *Surprise
sur prise* et d'être impliqué dans la fabrication de
certains épisodes de la série *Radio Enfer*.
Après s'être fait passer pour un humoriste en France
et pour un *Bizarroïde* en Allemagne, il traverse une
Zone de Turbulence et se fait maintenant passer pour un
auteur avec un texte pondu en Australie. Si vous avez
toute information pouvant mener à son arrestation,
communiquez avec lui au 844-8724.

△▽

○ ○ ○ ○ ○ ○ ○ ○ ⑨ ○ ○ ○ ○

«DING!»

Préface

Avant de commencer à rédiger cet ouvrage, j'aimerais écrire quelque chose. Les gens ont souvent tendance à croire que la philosophie est une science d'intellectuels et que, par le fait même, il faille absolument être intelligent pour philosopher. Foutaise! Il n'est pas nécessaire de s'appeler Platon ou Aristote pour philosopher. Non. Vous pouvez être un Gaston, une Huguette ou même un simple Ti-coune. Laissez les autres prétendre que vous êtes trop ignorants et réjouissez-vous-en, car Socrate a déjà affirmé: «La première qualité d'un philosophe est de savoir qu'il ne sait rien.» Votre ignorance est donc votre premier atout.

Si j'inventais une image de mon cru, je dirais que sans la philosophie nous ne sommes que des poussières dans le vent. Sans la philosophie, vous êtes comme au bord du grand gouffre de l'ignorance. Mais, grâce aux pages qui suivent, vous ferez un grand pas vers l'avant. J'espère, bien sûr, pouvoir vous convaincre que la philosophie est essentielle dans notre monde moderne, mais j'espère surtout vous faire aimer cette science. J'espère vous la faire aimer assez pour que vous regardiez la vie d'un nouvel œil, pour que vous continuiez à philosopher par vous-mêmes ou, du moins, pour que vous arrêtiez de rire de ceux qui aiment ça.

Toute votre vie, vous avez marché seul dans un long tunnel noir et aujourd'hui, comme par miracle, vous apercevez une lumière au bout du tunnel. C'est le train de la

philosophie qui s'en vient. Allez! Embarquez avec moi dans
le train de la pensée. Vous verrez, c'est palpitant! Tchou,
tchou! Nous partons!

> *La philosophie, c'est l'art de tout remettre*
> *en question. Enfin, peut-être?*
>
> SACHA DeLaDURANTAYE

L'étymologie

Comment peut-on parler de la philosophie sans mentionner
le mot? Le vocable «philosophie» est constitué de deux
«fixes»: un «pré» et un «su». Ce sont deux branches pro-
venant de racines. Premièrement, *philo* provient du verbe
grec *philein* qui veut dire «aimer». Ensuite, le «su» *sophie*, en
plus d'être le prénom de ma sœur, est le descendant du mot
grec *sophia*, qui signifie «homme sage». Donc, étymologi-
quement, «philosophie» signifie «aimer la sagesse». Cela ne
veut pas dire de faire des avances à son grand-père. L'interprétation de cette phrase dans son sens gérontophile serait
un impair. Non, la philosophie est plutôt l'art de se poser des
questions sur des sujets complexes. C'est la recherche de la
Vérité. Non pas celle que nous retrouvons dans un biscuit
chinois mais la Vérité avec un grand *V*. Et avec un accent sur
les *e*. Et sans *s* à la fin car il n'y a qu'une seule Vérité. V-É-
R-I-T-É, ça vaut beaucoup. Et ce, dans la vie plus qu'au
Scrabble. Le problème avec la vérité c'est qu'elle est comme
une femme avec de gros seins: nous sommes incapables de la
regarder en face. Platon, l'inventeur de l'amour platonique, a
imaginé une belle analogie pour illustrer ce phénomène. La
voici:

L'analogie de la caverne

Postulons que l'Homme (de sexe indéterminé) vive dans une caverne d'une banlieue bien ordinaire, c'est-à-dire un grand trou creusé dans un rocher en périphérie d'un centre urbain. L'individu en question est assis sur une pierre, dans sa caverne, et il réfléchit. Il veut connaître la Vérité (voir plus haut). Platon dit que la Vérité est comme le soleil qui brille à l'extérieur de la caverne. Si tel est le cas, notre personnage ne peut guère regarder la Vérité directement. Comment peut-il donc l'étudier s'il ne peut l'observer?

Pour garder l'histoire simple, je vais résumer en une phrase la conclusion de Platon: «L'humain peut seulement essayer de deviner à quoi ressemble, comment grosse est, combien de place prend, où se trouve, quelle forme a, qu'est-ce qui est à côté de, de quelle couleur est et comment loin est la Vérité, en regardant seulement les ombres des objets qu'il a construits, de ceux que les autres ont laissés avant lui ou de ceux que la nature a créés, qu'Elle produit sur d'autres surfaces, ce qui, par le fait même, l'assujettit à son biais, la déforme et fausse les conclusions.»

Est-ce que la philosophie est l'art de donner
des réponses en posant des questions?

SACHA DeLaDURANTAYE

Pourquoi philosopher

Je sais. Ne me le dites pas. Certains d'entre vous se disent certainement que tous ces questionnements ne font que compliquer la vie inutilement. La vérité fait mal, j'en conviens, mais il n'est sûrement pas plus douloureux de regarder le soleil en face que de s'enterrer la tête dans le sable. La Vérité est comme un coup de poing sur le nez; ça fait mal sur le coup, mais ça passe à un moment donné. De toute manière, est-ce mieux d'être un cochon heureux qui se roule dans la mare de son ignorance ou un Socrate tourmenté qui se demande « Que veux-je ? » C'est l'éternelle question de la philosophie. Pour ma part, je maintiendrai toujours ma position qui opte pour le plus Socrate des deux cochons. Pour mieux illustrer mon point, voici une fable de mon cru :

L'antilope et l'autre antilope

Il était une fois, dans une forêt plus tout à fait vierge d'Afrique, une antilope qui connaissait une autre antilope. Cette antilope, pas celle qui était connue de la première mais celle qui la connaissait, était une antilope philosophe. L'autre ne l'était pas. L'antilope philosophe était très tourmentée. Elle se posait des questions existentielles toute la journée, alors que l'autre antilope broutait nonchalamment du gazon.

— Que suis-je ? demanda l'antilope philosophe.

— Tu es une antilope, répondit l'autre antilope, entre deux touffes.

— Où vais-je ?

— Nous nous dirigeons vers le lac, rétorqua l'autre, entre deux pâquerettes avec un soupçon d'impatience dans la voix.

— Pourquoi brouté-je ?

Et il en fut de même tout l'été. Aussi, l'autre antilope ne répondit pas à la dernière question de sa compagne, préférant se chanter un air africain très fort dans sa tête pour ne plus entendre ses élucubrations.

Un jour, un lion rôda dans des parages situés pas très loin de l'endroit où elles se trouvaient. Il avait faim d'une bonne gazelle bien fraîche. En scrutant l'horizon de son œil de lynx, il vit une antilope près d'une autre antilope. C'était notre antilope et celle qu'elle connaissait.

— Eh bien ! c'est mieux que rien, se dit le lion.

Il s'approcha d'abord à pas de loup puis s'élança à toutes pattes vers les antilopes. Ti-galop ! Ti-galop ! L'autre antilope bondit aussitôt vers la poudre d'escampette tandis que l'antilope philosophe prit plutôt une seconde de réflexion.

— Le lion court plus vite que nous, cogita-t-elle. Si je cours, il me mangera sûrement.

Alors, l'antilope philosophe choisit de se précipiter vers le lac et sauta dans l'eau. Le lion continua sa poursuite et, crounche ! Il attrapa l'autre antilope de la canine gauche et la dévora toute ronde.

Quelle conclusion pouvons-nous tirer de cette leçon ? Il vaut mieux réfléchir. Bon, il est vrai que l'antilope philosophe ne savait pas nager et qu'elle s'est fait dévorer par les crocodiles, mais là n'est pas le point. Le point est que le lion s'en fout que ce soit une antilope philosophe ou non car, de toute façon, ça goûte la même chose.

> *Si philosopher c'est s'ouvrir les yeux, alors, ne philosophez pas quand vous avez du shampoing dans la figure.*
>
> SACHA DeLadurantaye

Connais-toi toi-même

Philosopher, c'est comme jouer au golf : meilleur on est, plus on aime ça. Et pour être bon en philosophie, il faut se connaître. Il y a une phrase célèbre à ce sujet que j'oublie régulièrement, mais elle me fait penser à une autre dont je me souviens. Je ne l'ai pas entendue personnellement, mais Socrate aurait dit, un jour : « Connais-toi toi-même. »

Je dirai deux choses à propos de cette phrase. Premièrement, elle contient quatre mots. Deuxièmement, elle constitue le secret pour bien philosopher. En nous léguant cette phrase, c'est comme si Socrate avait transformé un « par cinq » en mini-putt. Laissez-moi illustrer le propos de notre ami Socrate par une autre de mes allégories :

Le rêve d'Alphonse

Depuis qu'il était petit garçon, Alphonse rêvait de devenir pilote d'avion. Un jour, il décida de s'inscrire à l'académie des pilotes. Tout le monde était heureux pour lui. Sa mère lui donna un foulard de pilote qu'elle avait tricoté elle-même, sa grand-mère lui donna un chapeau de pilote en cuir qu'elle avait mastiqué elle-même et son père lui donna des lunettes de pilote qu'il avait achetées lui-même.

Évidemment, l'histoire d'Alphonse continue et peut parfois durer jusqu'à trois pages. Mais je l'arrête ici : *a)* parce que je suis un esprit libre *b)* par souci écologique.

> *Si même les questions sont à remettre en question, que vaut cette phrase ?*
>
> SACHA DELADURANTAYE

Je pense donc je suis

C'est Descartes qui a découvert que cette citation était une phrase célèbre. À première vue, elle peut sembler insignifiante et amuser. À deuxième vue aussi. Mais, comme on dit, c'est à force de regarder quelque chose qui a l'air de rien que l'on finit par y voir quelque chose.

D'après le prestigieux grand livre du savoir universel[1], «Descartes cherchait la certitude première». Il cherchait le trou où l'on eût pu couler le béton pour la fondation du duplex de la philosophie. Dans *Metaphysics Meditions part II*, un livre de Descartes dont on ne trouve malheureusement à ce jour aucune adaptation cinématographique, l'auteur fait

---

1. *Que sais-je ?*, «Initiation à la philosophie», Paris, 1971.

une longue déduction pour arriver à cette célèbre conclusion : « Je pense donc je suis. »

Si je vulgarise, voici, en somme, ce que dit Descartes : comment puis-je savoir que j'existe vraiment ? Il est possible que tout ce que je vois, tout ce que je sais et tout ce que je suis ne soient qu'une illusion. Si tel est le cas, je suis donc victime d'une espèce de *Surprise sur prise* géant orchestré par un Marcel Béliveau tout-puissant. Or, si un tel boute-en-train investit temps et énergie à m'organiser un canular semblable, j'en déduis donc que je vaux la peine d'être niaisé et, par le fait même, que j'existe !

J'avais une anecdote amusante pour illustrer sans condescendance ma compréhension de l'affirmation de Descartes, mais je ne la raconterai pas pour ne pas me vanter.

L'homme peut voir la vie de deux points de vue ; l'œil droit et l'œil gauche.

Sacha DeLadurantaye

L'inconscient

Mettons tout de suite une chose au clair : l'inconscient est une chose que vous ne pouvez pas voir, que vous ne sauriez pas que vous avez si on ne vous l'avait jamais dit, que vous n'auriez jamais su que vous aviez eue si on vous l'enlevait et dont vous n'auriez jamais entendu parler s'il n'en avait jamais été question. Mais, puisque vous l'avez, il fallait en parler un tant soit peu.

Un certain cocaïnomane autrichien à barbichette a inventé une théorie qui prétend qu'il y aurait trois personnes dans nos têtes. Comme dans un épisode de *Star Trek*, notre cerveau logerait un Klingon qui veut toujours avoir des pulsions, un Spock très logique et un capitaine Kirk quelque part entre les deux. Le pseudo-psychanalyste a failli faire s'écrouler la philosophie en disant que notre raisonnement était dominé par nos pulsions. Il ne faut y voir que du feu!

> *La double négation n'est pas une technique*
> *que les philosophes n'utilisent jamais.*
>
> SACHA DeLADURANTAYE

Conclusion

Avant de vous quitter et de vous laisser vous aventurer seuls dans la grande cité de la philosophie, je veux vous mettre en garde contre les sophistes. Ces revendeurs de faux raisonnements rôdent dans les ruelles du savoir. Ils essaieront de vous vendre du crottin, affirmant que c'est du colombien pur. Faites bien attention! D'où qu'il vienne, du crottin demeure du crottin. Parmi le genre de pièges qu'ils tendront, il y a celui du syllogisme. Ils vous diront: «Mon ami me doit vingt dollars. Or tu es mon ami. Donc tu me dois vingt dollars.»

N'en croyez rien. La meilleure façon de s'assurer de la légitimité d'un philosophe est de regarder ses cheveux. Les vrais philosophes sont échevelés. Je suis échevelé. Alors, je suis un philosophe.

Ça y est! Je vous sens enrichi comme du bon pain. Vous êtes prêts à affronter le monde avec un regard nouveau. Et la prochaine fois que vous irez à un party, au lieu de danser comme tout le monde, faites comme moi: arrêtez la musique, proposez à vos amis de philosopher et voyez leur réaction! Vous aurez l'air intelligent et vous verrez, ça impressionne les demoiselles aussi.

DANIEL THIBAULT

10-4

Daniel Thibault

L'auteur de la nouvelle qui suit est multidisciplinaire.
Le terme peut sembler galvaudé en cette fin de siècle, mais comment décrire autrement un chanteur heavy métal qui a joué dans *Rira bien*? Si on ajoute à cela l'intérêt énorme qu'il porte à l'anthropologie et au batik, on se rend rapidement compte que nous avons affaire à une personnalité complexe qui refuse de se laisser cerner en un simple paragraphe.
Fuck l'auteur, lisons la nouvelle.

«DING!»

Mai

PORT-CARTIER est une petite municipalité située entre deux autres encore plus petites nommées Gallix et Pentecôte. Elle a été construite quelque part au début du siècle par de vaillants bûcherons qui devaient détester profondément les gens, ou être profondément en peine d'amour, ou puer profondément, pour aller s'installer comme ça, à l'autre bout du monde, là où l'électricité arrive par bateau et où les maringouins ont un profil statistique d'obésité qui ressemble à celui des Américains.

La ville a connu un boom extraordinaire en 1975 au moment de l'inauguration de l'usine de papier. La population a grimpé de sept à douze mille habitants. Ça faisait du monde à la messe ; pour tout dire, impossible de trouver une place assise après dix heures moins dix le dimanche. Mais, en 1979, l'usine s'est désinaugurée. Tous les projets d'ouverture de McDonald's sont tombés à l'eau et le chômage s'est installé. Port-Cartier, après des années de croissance ininterrompue, a vécu sa première crise existentielle. Aujourd'hui, en 1985, des immeubles tout frais construits pour accueillir une population qui n'est jamais venue sont encore plantés là, ignorés de tous, comme des statues d'artistes contemporains non subventionnés.

Avant l'arrivée de l'usine de papier, il y avait une usine de fer. Elle a résisté à la crise économique et c'est à cet endroit

que je travaille. On y achemine le fer pour procéder au
«bouletage», terme technique signifiant qu'on agglomère le
minerai poussiéreux en petites billes rondes. Ça se transporte
mieux et ça se disperse moins si on éternue au-dessus.

Je suis journalier. Un terme poli pour dire que je fais tout
ce que les autres ne font pas. Un soudeur soude, un con-
ducteur conduit; un journalier, on occupe sa journée. Mais
c'est bien payé, ça nourrit la famille. Je ne vois pas de quoi
je me plaindrais...

La famille, c'est Hélène, Steve et moi. Steve est blond
comme sa mère. Je suis le seul brun dans la maison; mon
gène dominant s'est lamentablement fait planter au fil
d'arrivée. Selon moi, ça explique la dynamique de notre
foyer. Hélène trouve cette idée stupide. Elle me dit: «Au
lieu d'penser à des niaiseries comme ça, tu devrais t'occuper
du terrassement qui traîne depuis deux mois!» Hélène
trouve que je pense trop.

Ironiquement, c'est dans un cubicule de la bibliothèque
de l'école qu'on a baisé pour la première fois. Elle est tombée
enceinte la tête appuyée sur le *Petit Larousse*. C'était à la fin
de notre secondaire V. On a décidé de garder l'enfant —
«on» dans le sens grammatical archaïque stipulant qu'«on»
exclut la personne qui parle. Mais je suis un gars correct: j'ai
assumé mes responsabilités et j'ai commencé à travailler, il y
a huit ans, sur la «ligne».

La «ligne», c'est la voie ferrée qui relie Port-Cartier,
l'usine, au Mont-Wright, la mine. Dix heures de train. Pas
une maison. Des kilomètres de sapins et d'épinettes. L'impression d'être dans un interminable entrepôt de sent-bon
pour Corvette.

L'horaire obligé quand on travaille sur la «ligne», c'est le
10-4; dix jours au boulot et quatre jours de congé. Hélène
s'est plainte au début des dix jours que je passais à l'extérieur
de la maison. Maintenant, elle se plaint des quatre autres.

Quand je suis à la maison, elle est impatiente, colérique et me parle de terrassement. La visite d'un témoin de Jéhovah bègue lui tomberait moins sur les nerfs que celle que je lui fais toutes les deux semaines.

J'écris ceci de ma chambre au « millage 4 », le premier campement sur la « ligne ». J'ai appelé Hélène hier soir. Son ton était glacial. Chaque mot sonnait comme les parois de la cachette de Superman. J'ai voulu parler à Steve, notre garçon ; elle m'a répondu abruptement qu'il dormait parce qu'il avait de l'école le lendemain, que si j'étais plus souvent à la maison, je saurais ces choses-là, que les enfants ont besoin de beaucoup d'heures de sommeil, que j'étais « innocent » d'appeler toujours à l'heure où il s'endort, qu'« on sait ben, quand t'as fini ta journée, t'as juste à penser à toé », que ma mère avait appelé deux fois aujourd'hui, la première pour prendre des nouvelles du petit, la deuxième pour prendre des nouvelles du petit, qu'elle en avait plein le casque de lui donner des nouvelles du petit, qu'il y avait des parasites sur la ligne, que ça sonnait à la porte, que j'aille me faire voir, au revoir. Hélène est parfois comme ça : un mot clé échappé par hasard libère assez de fiel pour empoisonner vingt Jésus en ligne.

Je ne suis pas d'un naturel combatif. Quand on m'attaque, j'ai tendance à me protéger par la fuite. Personne n'est passé à l'histoire de cette façon, mais je suis persuadé que les hospices sont pleins de gens comme moi. J'ai raccroché en m'excusant, ce qui a probablement eu le mérite de l'irriter doublement. C'est ma façon à moi de me venger.

J'ai néanmoins décidé d'appeler ma mère pour lui dire d'arrêter d'aggraver mon cas. Une mère commence généralement à aggraver le cas de son fils en l'obligeant à porter une tuque au mois d'août — ce qui fait de lui la risée de son école — et elle poursuit son œuvre de surprotection tant qu'elle le peut, se nourrissant avidement de la honte qu'elle provoque chez son rejeton, puisque cette honte le ramène immanquablement dans son giron. Il fallait qu'elle cesse de mettre de l'Antiphlogistine sur la plaie ouverte de mon couple, alors je lui ai téléphoné.

Tout de suite, son ton m'a inquiété. Il y avait dans sa voix quelque chose du conspirateur, de l'espion, de la Mata Hari de région que je n'ai pas du tout apprécié. Après avoir esquivé rapidement la question de la température, fait étonnant en soi, car elle occupe habituellement la totalité de son discours, ma mère m'a glissé ceci :

— Robert, es-tu seul ?

— Oui, m'man.

C'était un « oui » technique. On n'est jamais tout à fait seul ici : les murs qui nous séparent de nos voisins de chambre remplissent bien leur fonction visuellement parlant, mais pas du tout en ce qui concerne l'acoustique. Je les soupçonne même d'avoir des qualités amplificatrices.

— C'est parce que j'ai quelque chose à t'dire, mais j'sais pas comment t'dire ça...

— Accouche, m'man...

— Y a un homme qui vient de rentrer chez vous...

Précisons que mes parents habitent à quelques pas de ma maison. Plus précisément en face. Une affirmation telle que celle-ci peut donc être difficilement mise en doute. Mais ma mère m'a déjà dit un 25 août que je pouvais attraper une pneumonie si je ne mettais pas ma tuque...

— Es-tu sûre ?

— J'te l'dis... J'ai pas eu l'temps d'voir c'est qui, mais c'est sûr que c'est un gars... As-tu vu l'heure ?

— Y est juste neuf heures, m'man...

— Y est neuf heures, Robert ! Les rideaux sont fermés dans l'salon...

À partir de ce moment, j'ai senti que les détails supplémentaires qu'elle m'apporterait ne m'aideraient pas à passer une bonne nuit. Je l'ai remerciée d'un ton agacé, puis j'ai raccroché en oubliant l'objet premier de mon appel. De toute façon, je n'étais plus bien sûr de vouloir qu'elle cesse d'appeler Hélène.

J'ai donc mal dormi la nuit passée. L'image d'un étranger dans ma maison m'a laissé perplexe et mon voisin de chambre sifflait de la narine en expirant. Ce qui s'est passé chez moi, je n'en ai aucune idée, mais inutile de dire que mon imagination s'est chargée de construire une multitude de scénarios, tous plus sordides les uns que les autres, allant de l'attouchement candide des mains jusqu'au lavage de draps tachés. Je me suis levé ce matin, amoché comme après un match de ballon-balai contre une équipe du Havre-Saint-Pierre, et je suis allé travailler.

Le printemps m'a dégoûté aujourd'hui. Après l'hiver froid et prodigieusement neigeux que nous vivons par ici, habituellement j'apprécie beaucoup cette saison, mais tout ce que je remarquais autour de moi, c'était des abeilles folâtrant en toute impudicité avec les fleurs, des bruants pervers se vautrant dans le stupre et la fornication, et des écureuils libidineux prêts à tout pour une cocotte. De plus, le « fore-man » était particulièrement chiant. Je me suis excusé à plusieurs reprises pour le faire enrager.

J'ai sauté le souper, n'osant pas affronter le regard des autres gars. J'avais peur d'y lire : « Bienvenue dans le club » ou quelque autre indice démontrant que je me promenais avec une poignée dans le dos depuis longtemps. J'ai ruminé des idées noires avec une grosse Molson que j'ai bue trop vite, n'en ayant pas d'autres pour accoter le « buzz ». J'ai lu en diagonale dix fois la même page d'un livre moche sans arriver à comprendre ce qu'on y disait. Et puis, voilà maintenant une heure, je l'ai appelée...

Juillet

Tous mes efforts ont été vains. Je ne suis probablement pas le premier cocu au désespoir qui quémande un changement de poste. La compagnie a dit non, rien de vacant. Je suis coincé avec le 10-4. En attendant, je me rabats sur les vacances de la construction. Plus qu'une semaine et demie — un seul «shift» — et je vais être à la maison.

C'est à en devenir fou, je vous jure. Avec les années, j'ai appris à vivre avec les récriminations d'Hélène. Ce que je suis l'agace et elle ne se gêne pas pour me l'expédier au visage à grands coups de litanies injurieuses, employant tout un lexique que ne renierait pas le capitaine Haddock s'il était né sur la côte Nord. Comme au craquement irritant d'une chaise berçante, je m'y suis habitué; c'est devenu une rumeur réconfortante. Mais, depuis deux mois, plus rien! Le silence! Elle sait que je sais. Et j'ai la désagréable impression que si j'avoue que je sais, elle sautera sur l'occasion pour m'annoncer que c'est fini.

L'essentiel de mon problème réside là : je ne veux pas que ça se termine. J'aime ma blonde, j'aime mon enfant, j'aime ma maison, j'aime désespérément tout ce que je risque de perdre, *précisément* parce que je risque de le perdre. Avant que tout cela n'arrive, j'aurais volontiers échangé ma vie de couple contre l'occasion d'une danse à dix avec une des deux danseuses qu'on voit régulièrement à Fermont, chose qu'elles ne font pas, car devant une multitude de mâles qui font en moyenne cinquante mille par année, elles finiraient rapidement par ressembler à la filière d'empreinte digitale du FBI. Je l'aurais fait parce que ç'aurait été *mon* choix. Mais là, ça me tombe dessus; je n'ai rien décidé, je suis la victime. Je suis bien prêt à subir la vie comme je l'ai toujours subie, mais dans la mesure où ça correspond à ce que j'attends d'elle, c'est-à-dire une famille, une job, une retraite et des funérailles où tout le monde est triste. En dehors de ça, non merci.

Quand j'ai appelé Hélène au mois de mai avec la ferme intention de l'interroger à propos de ce mystérieux étranger qui débarque chez nous à neuf heures du soir, je ne me doutais pas que j'allais me prendre un doigt, puis un bras, puis le reste dans le pire des engrenages. L'entretien a été très bref :

— Allô ! C'est moi...

— Robert ! Steve est aussi couché à cette heure-ci qu'il l'était hier à même heure.

— J'appelle pour te parler...

— Désolée, j'écoute la télé.

C'est à ce moment que j'ai compris. Nous avons deux téléphones dans la maison. Un dans la cuisine, un autre dans la chambre à coucher. Ce dernier a été acheté il y a cinq ans chez Radio Shack et il a une tonalité notablement plus « cheap », plus « taïwannaise » que l'autre. Elle avait répondu dans cet appareil. Et nous n'avons pas de téléviseur dans la chambre à coucher.

« Aaaah ! O.K. ! S'cuse... Bye ! »

...Et j'ai raccroché. J'ai été si décontenancé par son aplomb dans le mensonge que je n'ai pas su quoi répondre. Elle était peut-être nue, elle avait peut-être un gonzo en érection à côté d'elle en train de rajuster son condom, elle était peut-être assise dessus pour ce que je pouvais en savoir. J'ai senti le sang quitter mon visage et j'ai rappelé. Ç'a sonné un coup, deux coups, trois coups, neuf coups, douze coups... J'ai soudain eu l'impression de rythmer leur baise. J'ai raccroché, défonçant du même coup le téléphone, et je suis sorti de ma chambre en courant, pour me réfugier dans la forêt avec l'espoir de buter contre un ours ou le Sasquatch.

Quand je suis revenu à moi, après avoir erré quelques heures autour du lac près du camp, j'ai compris ce que j'avais fait. En raccrochant, j'étais passé à côté de la chance d'affronter Hélène. Elle n'avait pas menti pour détourner mon attention ; elle avait menti pour me provoquer. Elle ne pouvait pas ignorer que j'entendrais la différence de tonalité, elle m'avait demandé si souvent d'acheter un autre appareil pour la chambre. Elle avait répondu là par défi. Et je n'avais pas réagi. Je m'étais pitoyablement écrasé. Elle prenait inexorablement la maîtrise de la bataille.

C'est à ce moment que j'ai pensé : « À moins que j'utilise ma meilleure arme... » J'ai donc pris cette initiative dévastatrice : à mon retour à Port-Cartier, je ferais comme si rien n'était arrivé. Puisque mon apathie habituelle la rendait folle, j'allais suprêmement ignorer l'événement, jusqu'à ce qu'elle soit mûre pour l'aile psychiatrique de l'hôpital de Sept-Îles.

Malheureusement, le plan n'a pas fonctionné comme prévu. Je m'attendais à ce qu'elle devienne de plus en plus virulente à mon endroit, jusqu'à ce que la marmite saute et que j'encaisse tout ce que la Bible, le Coran et la Bhagavad-gîtâ contiennent de paroles sacrées. Mais non ! Elle était heureuse ! Bien sûr, elle conservait une certaine moue boudeuse en ma présence, mais elle tenait plus de l'indifférence que de la hargne. Tout au plus sentais-je une certaine hâte de voir arriver le jour de mon départ.

Je me suis néanmoins cantonné dans la feinte ignorance. Le premier séjour à la maison a été infernal. J'aurais voulu badigeonner de « liquid paper » le sourire béat qui naissait parfois sur les lèvres d'Hélène, le sourire extatique d'une sainte qui sait qu'elle ira au paradis bientôt. Dans ces moments où je devais répéter trois fois son nom pour attirer son attention, elle était Dieu sait où, mais elle n'y était sûrement pas habillée.

Le départ a été atroce. Je savais bien qu'en quittant la maison je laissais le terrain outrageusement libre au vautour qui dégustait les lambeaux sanglants de mon mariage. J'avais l'impression de partir pour Auschwitz avec un tatouage sur le bras indiquant : « cuisson à feu doux ». J'aurais voulu crier, rester, quelque chose, n'importe quoi, mais par un mystérieux effet de la volonté, je m'en tenais à ma première résolution.

Inutile de décrire en détail ce qu'ont été les dix jours suivants, sinon que j'ai développé pendant ce temps une réelle empathie pour tous les poissons rouges de ce monde condamnés à passer leurs vies à tourner en rond dans un bocal. Je n'avais qu'une envie : revenir chez moi et pisser sur tous les murs pour marquer mon territoire. Mais lorsque le jour du retour s'est enfin pointé, mon désir de vengeance par l'indifférence s'est mué en peur de voir tout s'effondrer si j'affrontais Hélène. Je me suis donc posté dans la maison comme une immense autruche, la tête dans le plancher, le cul bien offert à tous ceux qui auraient envie de le caresser du métatarse. La seule initiative que j'ai prise, c'est de ne jamais sortir de chez moi plus de cinq minutes. Cocu cent milles dans le bois, d'accord, mais cocu au centre d'achats, jamais !

La situation est rapidement devenue intenable. Ses sourires mystérieux de Joconde hormonalement contentée se sont multipliés, arrêtant d'autant ma résolution de ne pas quitter la maison d'une semelle et de la suivre à la trace lorsqu'elle allait s'acheter le moindre paquet de cigarettes au dépanneur. Elle s'est obstinée à suinter le bonheur, je me suis obstiné à me crucifier à son ombre. Ça fait deux mois que ça dure.

Mais dans une semaine et demie, tout va changer. D'abord, je vais découvrir qui est « l'autre ». À Port-Cartier, tout se sait. Même si le principal concerné est toujours le dernier à être mis au courant, depuis le temps que ça traîne, mon tour doit être venu. Ensuite, j'aviserai. Mais la stratégie de la victime a assez duré...

Août

Seize ans. Il a seize ans, le p'tit criss. Un grand efflanqué, même pas un homme, une parodie de mâle sorti de la puberté trop rapidement, la figure aussi lisse que son cul. Elle s'est entichée d'un adolescent! Elle s'est même pointée à son bal de graduation!

Le pire, c'est que seize ans, c'est l'âge où Hélène et moi on s'est connus, l'âge où elle est tombée enceinte. Je lui avais dit à l'époque que si elle décidait de le garder, j'assumerais les conséquences, mais qu'avant d'être parents on devrait peut-être d'abord envisager de sortir de l'enfance. L'histoire m'aura finalement donné raison. On dirait qu'elle s'est mise sur «pause» pendant huit ans et qu'elle a repris son adolescence en différé. Je suis devenu un hiatus, une erreur du temps, une improbable faille dans le continuum spatio-temporel. Je me définis comme ça maintenant, mais quand j'ai su de qui il s'agissait, le mot qui m'est venu à l'esprit, c'est plutôt «trou d'cul».

En revenant chez nous pour les vacances de la cons-truction, j'ai entrepris de découvrir le coupable. Pour éviter les détails croustillants des horaires de visite de «l'autre», j'avais consciencieusement évité ma mère depuis notre con-versation du mois de mai. Mais, maintenant que j'avais accepté de savoir, elle me semblait la meilleure source dis-ponible. Je me suis donc rendu chez mes parents avec le petit, l'utilisant comme prétexte pour une visite que je ne fais de toute façon jamais sans lui. On a soupé, on l'a couché, et quand j'ai été convaincu qu'il dormait — et que mon père faisait la même chose, mais devant le hockey — je me suis lancé. J'ai mis des gants blancs pour aborder le sujet, question de ménager mon ego, mais dès que maman s'est aperçu que j'allais en parler, elle a enfilé ses gants bruns et Hélène est passée par là. C'était la première fois que j'entendais ma mère proférer autant d'insanités à propos de quelqu'un d'autre que mon père. Je lui ai demandé de se calmer et de me dire simplement qui était le gars en question. C'est à ce moment que ma mère a paniqué. Je ne sais pas pourquoi, elle m'a tout à coup imaginé en époux assoiffé de vengeance, prêt à boire le sang de ma blonde dans le crâne de son amant. Elle s'est aussitôt reprise, remettant en perspective le chapelet d'injures qu'elle venait d'échapper, me suppliant de ne pas faire de bêtises inconsidérées. C'était tout maternel de sa part de me prêter un esprit aussi chevaleresque, mais Dieu qu'elle était dans le champ. Elle m'a toujours vu comme elle aurait voulu que je sois plutôt que comme je suis vraiment...

Je l'ai donc rassurée, mais il n'y avait rien à faire, elle ne voulait pas cracher le morceau. Plus j'insistais, plus elle refusait de parler; plus elle refusait de parler, plus je me mettais en colère; plus je me mettais en colère, plus elle était confortée dans son scénario de crime passionnel, donc plus elle s'entêtait à ne rien dire. Au bout d'une heure, pompé comme une presse hydraulique, je suis sorti de chez mes parents, claquant la porte avec une telle violence que la vitre thermos a volé en éclats. Maman, le bouton « panique » à « on », a appelé la police.

Lorsque je suis arrivé chez moi, il n'y avait personne. Plus d'Hélène! J'ai, comme on dit, pété une « fuse ». Notre auto n'était plus dans la cour, alors j'ai pris mon trois roues et je suis parti, bien déterminé à trouver où elle était stationnée. Ratisser Port-Cartier n'avait rien d'une mission impossible.

En arpentant les rues, je fulminais, de plus en plus convaincu que les appréhensions de ma mère étaient justifiées, que si je les retrouvais ensemble, je les truciderais, les empaillerais dans la position du missionnaire et les accrocherais à l'entrée de la ville avec un verset quelconque de la

Bible traitant d'adultère inscrit avec leur sang sur la pancarte « Bienvenue à Port-Cartier ».

Mais j'ai manqué d'essence dans la rue Tonawanda...

J'ai vécu à ce moment une expérience mystique. Je suis sorti de mon corps et je me suis vu sur mon trois roues avec, au-dessus de moi, une immense flèche en néon digne des excès les plus grandioses de Las Vegas qui me pointait et sur laquelle les lettres « L-O-S-E-R » apparaissaient successive-ment, le « O » s'éteignant par intermittence, comme pour souligner encore plus ma décrépitude. Je me suis effondré sur mon véhicule et me suis mis à brailler comme un veau, même si je n'en ai personnellement jamais entendu un. J'ai perdu la notion du temps. Les policiers m'ont finalement cueilli comme un bleuet à la mi-août.

Ils m'ont emmené au poste puisque je refusais de répondre à leurs questions ; probable que je me vengeais inconsciemment de ma mère. Mais c'est de la banquette arrière de la voiture de police, ironie suprême, que j'ai vu l'auto. Dans le stationnement des Féquette, rue De La Rivière. Monsieur Féquette est mort d'une cirrhose du foie en 1982. Madame Féquette vit seule depuis avec son ado de seize ans. J'étais soudainement devenu la victime collatérale d'un détournement de mineur.

Un trou d'cul...

Au poste, les gars ont recommencé leur interrogatoire. Cette fois, j'ai tout dit, prenant un plaisir sordide à raconter les détails qui m'humiliaient le plus, comme si ça pouvait exorciser la stupidité de mon inaction des quatre derniers mois. Je crois qu'après trente minutes de logorrhée auto-flagellatoire, ils en ont eu marre, car ils m'ont renvoyé chez moi, non sans me coller au préalable une bête amende pour avoir circulé en ville avec un VTT.

Je suis allé me coucher à l'Hôtel-Motel le Château non loin de là. Le lendemain, j'ai appelé Hélène pour dire que je passerais prendre mes vêtements. Quand je suis arrivé chez moi, ma valise trônait sur le balcon comme une urne funéraire. Aucune note, rien. Pour ma part, j'en ai laissé une sur la porte. J'ai écrit : « Je m'excuse ». Je suis retourné ensuite au Château et j'y ai passé le reste de mes vacances. Dire que j'étais censé m'occuper du terrassement.

Huit ans d'histoire en fondu rapide. Il n'y a que sur la « ligne » que rien ne change.

Mai

De bonnes nouvelles : on annonce que l'usine de bois va rouvrir. Après des années de lobbying intense par nos autorités municipales qui refusaient de voir les installations détruites, une compagnie québécoise a enfin décidé d'investir dans les débris de la multinationale pour faire des millions et, accessoirement, pour relancer l'économie locale. Alléluia ! C'est ce qu'ils ont écrit en première page du Port-Cartois.

Je vais faire application chez Cascade — c'est le nom des nouveaux investisseurs. Il paraît qu'ils veulent embaucher beaucoup de travailleurs qui habitent déjà dans la région. J'aurai terminé mon cours de soudure en juin. Je suis encore jeune, je vais sûrement pouvoir me placer. Je remets ma démission la semaine prochaine. Avec mon chômage, je vais pouvoir survivre jusqu'au moment où la nouvelle usine va commencer ses activités. De toute façon, j'en ai plein mon casque du 10-4.

Et puis, il faut savoir laisser sa place aux autres. Le jeune Féquette s'est trouvé un emploi estival sur la « ligne ».

Ça va être un bel été.

JEAN-FRANÇOIS LÉGER

Les aventures de Bouboule, le guichet automatique de l'espace

Jean-François Léger

Jean-François Léger est, avant tout, un être assez crapaud.
Eh oui. Dieu l'a probablement créé ainsi dans le but
de pouvoir lui dire un jour, lorsqu'il arrivera au paradis :
« Toi mon J.-F., eh que tu étais donc crapaud. » *La Petite Vie,*
Friends, Seinfeld, voilà autant d'émissions auxquelles il n'a jamais
participé. C'est toutefois en écrivant pour la populaire série
Allô Prof à Télé-Québec qu'il se taillera définitivement
une place sur l'échiquier mondial du « show pour téléspectateurs
inexistants ». Il est un peu niaiseux, mais il goûte bon.

△▽

⬜[○ ○ ○ ○ ○ ○ ○ ○ ○ ○ ⑪ ○ ○]⬜

«DiNG!»

«Il était une fois...»

Non, ça fait poche. On dirait que l'histoire va se finir dans un bungalow en pain d'épice. Voyons, comment je commence une conversation d'habitude? Attends... «J'te dis qu'y a fait mauvais hier!» Oui! C'est ça: la température.

«C'était un mardi pluvieux. Disons que c'était surtout le ciel qui était pluvieux, tout le reste du mardi semblait relativement correct.»

Nouvelle... Une nouvelle... Pourquoi est-ce que j'me suis embarqué là-dedans, moi? J'suis pas Bernard Derome. Où est-ce que j'ai mis mon dictionnaire? Ah... ici. Bon, «n»... nucléaire... nièce... Voyons, «o» c'est-tu avant ou après «i»? A-b-c-d-e-f-g... h-i-j-k-l-m-n-o-p. Après. Si le gars qui a composé cette toune-là avait des droits d'auteur chaque fois que quelqu'un la chante, y pourrait s'acheter... plein... des affaires... ah NOUVELLE!

NOUVELLE: n.f. Annonce d'une chose, d'un événement arrivé récemment.

C'est sûrement pas ça...

Composition littéraire appartenant...

Blablabla... Y mettent même pas c'est combien de pages. Mettons quatre pages, ça devrait être correct. Bon, une histoire. J'devrais peut-être me faire un petit «brainstorm», question de faire fuser les idées comme... des idées qui... fusent. O.K., j'dis tout ce qui me passe par la tête, j'me

censure pas. Euh.... abeille... euh... bourdon... euh... abeille
d'une autre couleur... eeuuhhh... bourdon d'une autre couleur... Câline que j'aurais dû continuer en sciences pures pis
devenir ingénieur comme mon frère. Mais non, moi j'veux
être un comique !

— Wow ! T'es courageux de t'en aller dans un métier où
c'est risqué de même !

— Oui, je sais, des fois j'me trouve pas mal brave.

Bullshit ! Voyons donc, j'm'en vas là-dedans parce que
chus écœuré de faire des estis de suites de Fibonacci pis des
intégrales. Envoye ! Fais-nous rire le comique, c'est le temps.

« C'était un mardi comme tous les autres mardis de
la semaine, sauf que celui-là était différent : il avait pris
du poids. C'était un mardi gras. »

Pas pire ça, mardi gras. C'est comme un jeu de mots pas
drôle, mais ça fait « gars qui pense ». Ouin, pas pire... Me
semble que mon histoire manque de quelque chose...
Attends minute : j'ai dit quel jour on était, j'ai parlé de la
température, j'ai fait une joke... un personnage ! Oui, c'est
bon ça !

« Il y avait un gros gars méchant qui marchait et qui
avait l'air d'être un "pas-fin" dans l'histoire. »

C'est bon ça, c'est bon.

« Ce "pas-fin" était en réalité un "fin", mais on le sait
juste à la fin de l'histoire et tout le monde capote. »

J'pense plutôt que c'est le genre de choses que je devrais
écrire dans mes notes.

« L'aube pointait à peine dans l'aurore que la pé-
nombre enveloppait dans un grand voile, pareil comme
une femme dont on ne peut voir le visage. »

C'est pas pire ça. Si je mets ben de la poétrie pis de l'habileté de mot dans mon affaire, peut-être que personne va se rendre compte que c'est pas drôle.

« Le "pas-fin" de tantôt se déambulait vers un endroit qu'on sait pas encore c'est où, dans le but d'y faire quelque chose. »

Rester général, au début c'est parfait, ça. Ça aide à faire suspenser le téléspectateur du livre. J'devrais peut-être trouver un nom à mon « pas-fin », c'est fatiguant de toujours avoir à peser sur « shift » pour mettre des guillemets.

« Le "pas-fin", il s'appelait Joyhn Smith. »

Shit, j'ai accroché le « y » en tapant John. Ah, pis d'la marde, j'efface pas. Ça fait un nom plus long, j'vas arriver plus vite à quatre pages.

« Joyhn Smith avait été baptisé ainsi, alors que le curé, qui avait les mains fatiguées à force de découper des osties dans des grandes feuilles de pain, avait accroché le *y* en tapant John sur son ordinateur portatif. »

Shit, ça existait-tu dans ce temps-là ?

« ...sur son ordinateur portatif à charbon. »

Oh ! Habile ! On se sent déjà remonter dans le temps. Bon, le personnage... Revenir sur le personnage.

« Joyhn était un méchant, il avait aussi d'autres défauts, mais il était pas mal plus méchant qu'il était d'autres choses. »

Chus pas pour commencer à tout expliquer, quand même. C'est pas une encyclopédie que j'écris. Si le monde veut connaître plus le personnage, y a juste à s'imaginer d'autres défauts dans sa tête. C'est supposé que c'est ça qui fait qu'un roman c'est ben meilleur que le film.

«Joyhn était d'une grandeur ordinaire, d'un poids ordinaire, avait une face ordinaire et un âge très ordinaire mais il était méchant. Tous s'accordaient pour dire ça. Certains disaient: «Il est méchant, ce Joyhn.» Et d'autres disaient... la même chose.»

Quasiment une page d'écrite, wooou! Ça va ben, on lâche pas, ça va ben. Bon, faudrait que je trouve quelque chose d'autre pour rallonger... Je pourrais peut-être parler de son chat.

«Joyhn avait un chat.»

Shit, chus bloqué. J'vas y mettre un chien à place. Oui, un chien, c'est plus gros, y a au moins deux pages à faire sur un chien.

«Joyhn avait aussi un chien. Il l'avait nommé "Dog" car il maîtrisait assez bien l'anglais.»

Écrit de même, on dirait que c'est le chien qui maîtrise l'anglais. Faudrait que j'arrange ça le plus vite possible, sinon tout le monde va s'attendre à ce que le chien parle pis y vont être distraits pendant qu'y vont lire. C'est pas bon ça.

«Quand je dis: "il maîtrisait", je parle de Joyhn.»

Ouf! Ben arrangé ça, mon J.-F., ben arrangé.

«Les deux s'aimaient. Joyhn disait à son chien: "Je t'aime" et son chien lui répondait: "Wouf" car il ne parlait pas du tout, ni le français, ni l'anglais, ni l'espagnol, ni même l'être humain. Il ne savait dire que "Wouf".»

C'est ça mon homme! Ça, ça s'appelle taper sur le clou. Là on vient de s'assurer que pus personne se mélange jusqu'à fin.

« C'était vraiment un chien ordinaire de race régulière avec aucune couleur en particulier. »

All right... j'sens qu'y a une bonne piste avec le chien. Ça débouche, ça débouche...

« Dog était mort dans un accident de chien alors que Joyhn avait 32 ans. Depuis, il ne l'avait plus revu. »

Ah ben, c'est drôle, han? Finalement, ç'a l'air que c'était pas une si bonne piste que ça. Bon. Là, de quoi j'peux ben parler? Ah oui, je l'ai! J'vas parler pareil de son chien, comme si y était pas mort, pour revenir dans le temps. C'est hot, ça. J'ai vu ça dans *Pulp Fiction*. Le gars écrit plein de meurtres, après ça y crisse tout ça dans un chapeau pis y tire pour savoir dans quel ordre y va les mettre dans l'histoire. Ça fait habile.

« Ce matin, Dog était avec Joyhn car il avait 31 ans, donc Dog n'était pas encore mort. On revient dans le temps. Dans le temps où Dog était un chien au charbon. »

Pffff! Pas évident de faire ça subtil en écrivant un retour dans le temps. C'est ben plus facile à la t.v.: y ont juste à mettre ben de la boucane pis un peu de harpe pis on sait tout suite que c'est comme un flash back ou bedon un rêve.

« Ce matin-là, Joyhn était méchant et Dog était un chien plus que jamais. Les deux marchaient sur le trottoir, le préférant à la rue qui est beaucoup moins sécuritaire avec toutes les autos qui y roulent. Grâce à des habiles transferts de poids répétés d'une jambe à l'autre, Joyhn marchait. Dog trottait à ses côtés, à la même vitesse et dans la même direction, ce qui leur évitait de s'éloigner l'un de l'autre. »

C'est ça qui est fatigant quand c'est pas à la t.v., le monde voit pas. T'es obligé de faire des descriptions plates. L'affaire qui est pas pire, c'est que ça prend ben de la place dans une page, une description plate.

« Ils passaient devant un garage, puis un dépanneur, puis un restaurant, puis un autre restaurant, puis une boutique de linge, puis revenaient devant les deux mêmes restaurants, puis Joyhn se penchait et regardait s'il s'agissait d'un vingt-cinq cennes, puis touchait et voyait que c'était juste une gomme ronde écrasée dans la neige, puis se relevait, puis repassait devant les restaurants, puis devant la boutique de linge et repartait. »

Quin ! Émile Zola peut aller se rhabiller, c'est qui qui fait les meilleures descriptions en ville, han ?

« Joyhn était méchant mais sympathiqe. »

Bon, encore mon *u* qui marche pas. Maudit ordinateur à marde ! J'aurais dû le sacrer aux vidanges quand j'avais le temps. C'est pas comme si t'avais pas besoin d'un *u*, c'est une des syllabes. Non, ça s'appelle pas des syllabes, c'est des.... on dit les consonnes pis les... syllabes, c'est ça. Ça fait pas dur à peu près, un *q* pas de *u* avec !

« Joyhn était très sympatiqe, très très sympatiqe. »

Ostie de clavier ! Je sais pas si ça peut avoir rapport avec la fois que j'ai laissé tomber ma bière dessus. C'est niaiseux dans le fond. Pourquoi ça prend toujours un *u* à côté du *q* ? Non, mais c'est vrai, c'est comme si le *d* avait besoin d'une lettre pour vivre, c'est ben poche ça. Maudite langue française, j'aurais dû naître au Japon, ça aurait été moins de trouble : j'ai toujours été bon en dessin. Bon, fuck off, j'ai pas le choix, j'vas continuer de même.

« Quand je dis qe Joyhn était très sympathiqe, je veux dire q'il est relativement « très sympatiqe », car son chien Dog était n caniche et qe c'est conn, tot le monde haït les caniches. Les caniches sont les chiens les pluuuuuuuuuuuuuuuuuuus haïs du monde. »

Bon, y vient de débloquer.

« La rue était pleine de gens qui ne connaissaient pas Joyhn et donc ne le saluaient pas et/ou ne l'invitaient pas à venir prendre une bière en écoutant la game de hockey. »

Y en a-tu une à soir ? Attends, j'pense que c'est contre Boston. Oui, c'est ça, Boston.

« Joyhn marchait, flattait son chien et sifflait ou marchait, sifflait son chien et flattait, ou toute autre combinaison des trois éléments est acceptable. »

Bon, j'ai bien installé mes personnages, j'pense qu'y faudrait mettre un peu d'action là-dedans.

« Joyhn tourna le coin de la rue et un homme avec l'air encore plus méchant que Joyhn arriva avec une mitraillette et tua tout le monde. Il tua aussi le chien, le confondant sûrement avec le monde. »

Woouuu ! Là ça brasse comme moi j'aime ça. Oh shit, j'peux pas faire mourir le chien ; je l'ai fait mourir un an plus tard dans un accident de chien. Hum... cherchons une solution, cherchons, cherchons... ah !

«Mais Dog faisait seulement semblant d'être mort, car en réalité Joyhn lui avait fait enfiler son petit chemisier pare-balles à pompons roses avant de partir pour faire sa marche.»

Bonsoir! Le maître du retournement est né! Amenez-en des problèmes, j'vas vous les régler. Comme on dit: «L'élève qui le dépasse un jour d'un mètre.»

«L'homme encore plus méchant que le précédent était très cool, et il marchait avec une mitraillette dans la ville pour tuer tous les gens qui n'étaient pas encore morts, car nous étions après une guerre nucléaire en 2039.»

J'vas le noter avant de l'oublier...

(Penser à suggérer l'idée à Sylvester Stallone pour son prochain film. Si Stallone refuse, aller voir Van Dame et rajouter une couple de passes où il fait la split.)

Bon, où c'est que j'étais rendu donc... Ah oui.

«Le méchant avait des gros muscles et il avait une face de gars hot. Quand il tirait des gens, juste avant, il disait toujours la même phrase: "J'ai le boxer qui me rentre dans la craque."»

(Penser à trouver une meilleure phrase, peut-être en espagnol, ça fait cool.)

«Ce méchant marchait sans chien sur le trottoir et passait devant une boutique de linge, puis un restaurant, puis un autre restaurant, puis devant un dépanneur, puis revenait devant le dépanneur, puis se penchait pour se rendre compte que ce n'était pas un trente sous mais une gomme ronde effouarée dans la neige, puis repassait devant le dépanneur, puis devant un garage. Il était méchant. Quand, tout à coup, Dog le caniche lui sauta à la gorge et lui arracha la trachée. »

Hiii, c'est peut-être violent un peu, ça. J'serais peut-être mieux d'y aller avec des mots plus doux.

« Alors que Dog lui déchiquetait délicatement les intestins, le méchant se retourna d'un air pas très content. Le chien Dog se rendit alors compte que le méchant méchant n'était rien tout simplement d'autre qu'en réalité une machine. C'était un guichet automatique qu'on avait recyclé en tueur à gages après la grande guerre nucléaire. Guichet fut offusqué de s'être essayé de se faire tuer par un caniche mort et il pointa donc sa mitraillette sur lui et... »

Oupelaille !

« ...et ...et lui dit : "Va-t'en, je ne peux pas te tuer, tu dois mourir dans un accident de chien dans un an." »

Ouf ! Juste à temps. Bon, on a pas mal fait le tour, j'pense. Comment ça pourrait finir ?

« Le guichet rengaina son arme... »

« Rengaina », pis qu'y viennent dire que j'sais pas écrire après. « Rengaina ».

« ...puis toussa une couple de piastres avant de s'envoler vers le soleil et de revenir dans une autre aventure de *Bouboule, le guichet automatique de l'espace !* »

That's it ! Pas un mot à changer, c'est de l'or en barre. Le début lent, ça fait suspense Hitchcock, le milieu plein d'actions pis la fin cartoon, ça fait Batman. Y est où, le chèque ? Où c'est que j'signe ? Non, mais quelqu'un qui lit

quelque chose de même, y peut pas faire autrement que
capoter ! Y reste juste à envoyer ça à des éditeurs. Bon,
comment je fais pour faire imprimer ça ? Maudit ordinateur
en anglais.

«Do   you   really   want   to   quit   without
saving the document ?»

Yes, mon homme ! On t'imprime ça en douze copies !

PIERRE-MICHEL TREMBLAY

L'assassin littéraire

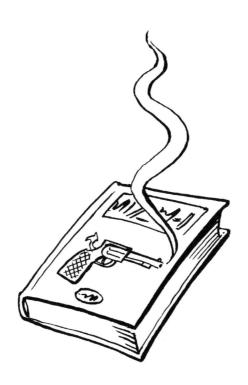

Pierre-Michel Tremblay

Dès sa petite enfance, Pierre-Michel sent l'appel de la vocation : il sera joueur de balalaïka. Malheureusement, dans sa petite ville natale de Dolbeau, le balalaïka est un instrument qui n'existe pas. Alors, pour oublier son chagrin, il se tourne vers l'écriture humoristique. Il écrit pour le Groupe Sanguin, Marie-Lise Pilote, Lévesque-Turcotte, Michel Barrette, Jean-Michel Anctil, il participe à la fondation de la compagnie de création Les éternels pigistes, pour laquelle il écrit la pièce *Quelques humains*, il écrit pour l'émission *Un gars une fille*, mais peine perdue, au fond de sa mémoire résonne encore un air de balalaïka inachevé.

△▽

○○○○○○○○○○⑫○

DING!

Chapitre 1

L'AUTEUR affirma tout net :

— Je fais une littérature symbolique de sous-texte qui se veut une célébration de la mise en abyme... Bref, une fête de l'analyse textuelle. J'aime quand le lectant travaille...

— Le lectant ? sourcilla Max Beaudry.

— Oui, le lectant, c'est un néologisme que j'ai forgé pour signifier que la personne en état de lecture doit être active, actante en quelque sorte.

L'auteur dessina sur ses lèvres pincées un sourire se voulant sympathique, mais le sourire en question évoquait plutôt une craquelure de plâtre usé.

— Ouais, pis ? sourcilla de nouveau Max Beaudry (étant ambidextre des sourcils, Max Beaudry pouvait se permettre de sourciller deux fois en utilisant le sourcil droit, ensuite le gauche, et inversement).

L'auteur poursuivit avec un très léger étonnement dans le regard, provoqué par le sourcillement alternatif de Max Beaudry :

— Je travaille actuellement sur un texte qui raconte l'histoire d'un écrivain qui tente d'écrire une histoire où il raconte qu'il écrit une histoire. Il dit qu'il écrit et il écrit qu'il dit qu'il écrit. C'est tout à fait fascinant comme processus, même si l'approche est un peu démodée depuis le déclin des structuralistes.

Agacé, Max Beaudry sortit son pistolet et fit feu rapidement. La balle s'enfonça précisément entre les deux yeux de l'auteur qui s'écroula sur le sol en tentant de préciser qu'il n'avait pas terminé l'explication de sa symbolique textuelle.

Il émit un râlement gras que Greimas aurait apprécié (en tant qu'onomatopée signifiante).

— Moi je dis: un meurtre dès le début, y'a que ça.

Chapitre 2

— Max Beaudry je vous arrête pour meurtre.

La voix de l'inspecteur Julie Stanasvokonnaskoun (Julie avait accepté de changer son nom de famille pour permettre à son frère sculpteur d'avoir des subventions du Conseil des Arts du Canada) résonna de façon autoritaire dans le petit appartement de Max Beaudry.

Elle se tenait devant la porte défoncée, le pistolet bien en joue devant le meurtrier.

Max Beaudry sourcilla de gauche à droite.

— Je m'attendais pas à ça.

— Pourtant vous avez tiré à bout portant un auteur en plein salon du livre lors d'un débat ayant pour thème: écrivain, lecteur: une parthénogénèse partagée?

Les quatre-vingts personnes qui assistaient au débat constituent des témoins oculaires de premier ordre et je ne vous mentionnerai même pas les onze mille personnes qui étaient présentes dans ce Salon au moment de votre odieux crime.

— Ouais, s'tie de débat plate... Mais, je veux dire, je m'attendais pas à ça : un inspecteur avec des totons.

— Je m'en doute bien, Max Beaudry, après avoir lu vos deux romans policiers, je peux affirmer que vous êtes certainement le pire auteur misogyne de la planète. À côté de vous, Jacques Brel passe pour un féministe engagé. Je conçois donc parfaitement qu'un inspecteur en sein vous révulse.

À l'image de son nom de famille d'emprunt, Julie avait beaucoup de lettres et ça se remarquait dans sa façon de s'exprimer.

Max fit un pas en direction de Julie. C'était un pas de trop.

— Pas un geste... Qu'est-ce que ce mouvement que vous eussiez voulu faire ? Je vous demande instamment que vous cessâtes.

Julie douta un court instant de l'utilisation de son conditionnel passé à la deuxième forme appliquée au verbe vouloir et douta encore plus de la conjugaison du verbe cesser. Mais, en son for intérieur, elle se dit : « Ça doit être parce que je suis un ti-peu nerveuse. »

Max s'immobilisa et y alla d'un sourcillement ambidextre moqueur à souhait.

« Cet être horrible se sert également bien de ses deux sourcils », constata Julie grâce à son remarquable sens de l'observation.

— Max Beaudry je suis ébaubie de votre cruauté. Vous êtes un dangereux psychopathe, le meurtrier de l'élite intellectuelle, l'assassin de la littérature québécoise, le...

N'en pouvant plus, Max Beaudry l'interrompit rudement.

— R'garde, peux-tu juste fermer ta yeule pis m'arrêter.

Chapitre 3

Max Beaudry observe le gardien de prison ouvrir la porte de sa cellule à son éditeur. Il sourcille alternativement de droite à gauche mais l'éditeur n'y prête pas attention, il y a longtemps que l'incongruité sourcilière de son auteur ne l'impressionne plus. L'éditeur regarde la petite cellule d'un air désespéré.

— Habitue-toi tout de suite parce que ça risque d'être mon bureau de travail pour les vingt-cinq prochaines années.

— Ton avocat m'a dit que tu voulais assurer seul ta défense ?

— Ouais...

— Mais, qu'est-ce qui t'a pris, assassiner la jeune étoile montante de la littérature québécoise en plein pendant un débat au Salon du livre ?

— T'aurais mieux aimé que je le tue au lancement de son ostie de livre plate ?

— Je ne pense pas que tu puisses réduire ta peine en invoquant la jalousie littéraire, c'est beaucoup trop courant pour être original. Si tes deux romans n'ont pas vendu et se sont fait démolir par la critique, c'est pas la faute de tes collègues.

— C'est pas ça l'idée...

— En plus, avais-tu vraiment l'intention de... d'assa... d'éliminer les écrivains d'ici qui sont passés chez Pivot ?

— Ça fait partie de mon plan.

— Un plan ?

— Ouais, et ça te concerne.

L'éditeur se relève subitement et se dirige vers la porte.

— Je ne veux pas avoir affaire à tes histoires. Si t'es devenu un fou psychopathe, ça ne me concerne plus.

L'éditeur se prépare à demander la sortie au gardien qui attend patiemment à quinze dollars de l'heure.

— En connais-tu beaucoup, toi, monsieur l'éditeur, des auteurs qui ont fait EN MÊME TEMPS la une du *Devoir*, de *La Presse*, du *Journal de Montréal*, de *Photo-Police*, d'*Allô-Police* et de *Québec Érotique*?

À part moi, nommes-en un?

L'éditeur se retourne et regarde Max avec un soupçon de début de compréhension dans le visage.

Max sort le manuscrit de son prochain roman et le remet à son éditeur.

L'expression de début de soupçon de compréhension du visage de l'éditeur se transforme en un visage d'illuminé en pleine béatitude.

— Ça ne s'appelle pas de la psychose de fou, ça s'appelle du marketing.

L'éditeur quitte la cellule avec le manuscrit de Max Beaudry sous le bras. Sur ses lèvres, on peut voir un sourire qui se forme à la pensée des beaux livro-dollars qui viendront garnir son compte en banque. Il imagine même la série télé qu'on réalisera à partir du livre et les livro-dollars se gonflent en méga-média-dollars. Et son sourire éclate en fou rire.

Resté seul dans sa cellule Max Beaudry pense: «Je l'ai toujours dit: un meurtre dès le début, y'a que ça qui fait vendre.»

FRANÇOIS PARENTEAU

Les aventures de la gang

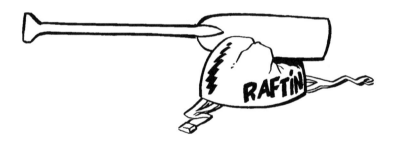

François Parenteau

François Parenteau a tellement touché à tout qu'on espère pour lui qu'il se lave les mains souvent. Imitateur à temps partiel (l'*Osstidcho* en rappel), il est un peu à Yvon Deschamps ce que Johnny Farago est à Elvis (ou Pierrot Fournier à Jacques Brel, selon vos goûts). Dans sa réelle identité, il a été concepteur publicitaire, collaborateur au défunt magazine *CROC*, scripteur de spectacles d'humour, auteur pour le sitcom *Radio Enfer* et d'autres émissions, reporter à la *Course Destination Monde 1994–1995* ainsi qu'aux Jeux d'Atlanta. Actuellement, il est parolier pour Dan Bigras et billettiste d'humeur à la radio de Radio-Canada. Si vous le croisez dans la rue, ne lui dites pas «Willie!», ça ferait juste le mélanger.

DING!

Certains sortent de l'adolescence au début de la ving-
taine. Mais il y a ceux qui n'entendent pas la cloche et qui
poursuivent la récréation. Fiers émules de Peter Pan, ils rem-
pilent pour une décennie de plus à ne pas vouloir vieillir. Et
si certains gars rêvent déjà de la fée clochette qui leur fera
tourner la page (en espérant qu'elle soit aussi bien faite que
dans le livre), la plupart se trouve fort aise de continuer de
niaiser. C'est le cas pour mes amis et moi.

Comme nous avons expérimenté ensemble bon nombre
d'activités stupides et de loisirs saugrenus, j'ai pensé vous
faire part de mes observations afin d'éviter à d'autres adolescents attardés les déconvenues que nous avons vécues.
Mais avant tout, je dois vous présenter le ramassis de gars le
plus disparate et le plus désespérant du Québec si on excepte
le Canadien de Montréal : ma gang.

D'abord, le chef apparent de la bande : Phil. C'est un
hyperactif angoissé et pissou qui se trouve toujours une
nouvelle job pour s'en faire ensuite crisser à la porte. En fait,
Phil n'est le leader que parce qu'il reste encore chez ses
parents et que, comme ils ne sont jamais là, c'est lui qui
dispose du plus bel espace de niaisage. Il est aussi le boss
parce qu'il est le seul à trouver que ça en prend un...

Yves, un grand slack plaignard et chigneux, est un infor-
maticien tellement cheap qu'il indique les jours Z de Zellers
dans son agenda. Son parfum s'appelle « Tester ». Il semble
perpétuellement embarqué dans quelque chose contre son
gré.

Gaëtan (que tout le monde appelle « Gue » parce qu'il affiche une nette préférence pour les monosyllabes) est une brute américano-sportive qui n'aime que ce qui s'accomplit en portant un numéro dans le dos ou un casque sur la tête (on le soupçonne même de baiser avec un dossard). Il a un appartement près du centre Molson.

Éric est un théoricien étudiant perpétuel qui dort encore dans le sous-sol en dessous de ses parents et au-dessus d'une impressionnante collection de *Hustler* reliés sous la couverture de l'*Encyclopedia Britannica*.

Flu (c'est un surnom mais ce serait trop chiant à expliquer) travaille dans un lave-auto « Ami de la Terre ». C'est un freak excentrique, new age, grano et homme rose avoué.

Moi, je suis celui qui a toutes les bonnes idées, même si ça fouère toujours à cause de circonstances aussi incontournables que l'imbécillité de mes comparses. J'admets cependant que je suis aussi celui qui a tendance à dire un mot de trop au mauvais moment.

Ne me demandez pas comment ce mix-là en est venu à se coaguler en une gang, c'est le plus grand mystère. Gue est le cousin de Phil, il a donc une excuse. Mais pour le reste, les seules choses qui nous réunissent se résument à un culte immodéré pour le film *Le Père Noël est une ordure* et l'œuvre des Monty Python's. Nous avons aussi la passion commune d'inventer de nouveaux jeux de société comme le pool full-contact, où on a le droit de rester à sa place après avoir joué afin de nuire au joueur suivant.

Dans ces catégories d'inventions, nous attendons présentement les brevets pour notre scrabble *Plume Latraverse*. Le scrabble est une bonne façon de s'amuser avec sa langue quand on n'a pas de blonde. (Gaëtan préfère mettre la sienne sur une batterie parce que « ça fait comme un buzz ! » mais c'est parce qu'il est épais.) À ce jeu comme ailleurs, connaître tous les mots du dictionnaire est donc bien utile, mais savoir se placer, c'est encore mieux. Parlez-en à Éric qui en est à son troisième bac et qui ne se trouve pas de job.

Mais les inventions naissent de la nécessité. Gue s'étant plaint que le jeu était brisé parce qu'il y avait des lettres qu'il n'avait jamais vues, on a été obligés de regarder son jeu pour se rendre compte qu'il avait mis un *N* et un *F* à l'envers. Nous avons donc décidé de changer les règles pour que Gue ait une chance. En bons enfants de la méthode du Sablier, on s'est dit que si ça se prononçait comme il fallait, le reste n'avait pas d'importance. Et puis, on a même décidé qu'on pouvait écrire des mots qui n'existaient pas, du moment que notre explication soit crédible ou fasse rire les autres. En plus d'être drôle, ça aurait pu être un excellent moyen de régénérer la langue française. C'est ainsi que j'ai moi-même inventé le verbe « nouir », signifiant « répondre noui », comme dans la phrase : « Au prochain référendum, le Québec nouira encore... » Puisque notre cercle d'amis ne compte aucun académicien, j'imagine que l'intronisation au dictionnaire attendra.

Autrement, au sein de cette gang-là, le niaisage et le brettage sont devenus des rituels sacrés. Il m'arrive de penser qu'on devrait former une religion. Ne serait-ce que pour épargner de l'impôt. Nous avons ensemble des rites aussi nombreux qu'absurdes que nous entretenons depuis le cégep. En fait, ça a souvent commencé par des niaiseries, mais comme on les répète annuellement depuis dix ans, elles sont devenues des cérémonies et nous les accomplissons désormais avec tout le sérieux qui leur est dû. D'ailleurs, à voir les rituels de certaines religions, j'ai l'impression que la nôtre n'est pas la seule à avoir commencé par des jokes.

Nous avons le cérémonial du Super Bowl où tous doivent porter la casquette et le chandail d'une équipe sportive. C'est la célébration de notre américanité. Nous ne devons bouffer que des chips aux saveurs douteuses comme Poutine ou All dressed et ne boire que ce qui vient dans une king can. À cette occasion, c'est Gue qui officie, vu qu'il connaît les noms de tous les joueurs et cheerleaders.

Il y a aussi la visite annuelle à la cabane à sucre où nous nous faisons tous passer pour une gang de beaux-frères dont les femmes, les innombrables sœurs Pouliot, sont retenues chaque année par une démonstration Tupperware. À cette occasion, nous devons tous emprunter un pseudonyme disgracieux aux initiales répétées et assumer notre moi-régional, c'est-à-dire la job qu'on aurait si on vivait en campagne. Moi, je suis Clément Colpron, l'éleveur de vaches Holstein. Phil est Fernand Fagnan, le représentant Massey-Ferguson. Éric est Gérard Giguère, l'inséminateur artificiel (étant donné que ses seules expériences en reproduction sont artificielles). Gue est exceptionnellement appelé Rex.

Il y a l'épluchette de blé d'inde, la journée de plage aux États où nous allons terroriser le Vermont, le party thématique d'Halloween et le party chic du Nouvel An.

Renaud chantait qu'une gonzesse de perdue, c'est dix copains qui reviennent. Eh bien ! les dix copains, c'est eux autres, et c'est vraiment pas juste parce qu'en plus d'être des épais, ils sont juste cinq.

L'auberge dans le Bas-du-Fleuve

Au début d'un été, on se retrouve tous célibataires avec rien à faire pour une fin de semaine de quatre jours. On s'est alors dit que c'était l'occasion idéale pour faire un voyage. Gue a proposé d'aller aux États parce qu'il voulait goûter au nouveau Gatorade à saveur de melon d'eau qu'il avait vu dans une annonce pendant le basket-ball sur un poste américain. Il n'en était pas question parce que Yves trouvait que le taux de change aux douanes était un vrai vol.

J'ai aussi fait remarquer que, de toute façon, les Américains refuseraient l'entrée dans leur pays à un gars aux cheveux longs qui peinture ses montures de lunettes avec du liquid paper et qui se laisse pousser l'ongle du pouce gauche jusqu'à temps qu'il fasse une curve complète, comme l'Hindou dans les records Guinness. Flu n'a pas apprécié, prétextant qu'il ne le fait pas pour battre un record mais bien pour explorer son corps. J'ai dit que les douaniers américains chercheraient peut-être à explorer son corps, eux aussi, ce qui a semblé le faire réfléchir.

Alors on a décidé d'aller dans le Bas-du-Fleuve, histoire de prendre une bière, mais loin. Voilà donc deux chars de bozos en route vers Rivière-du-Loup, aussi préparés que Mordecaï Richler fuyant Montréal après un putsch de la société Saint-Jean-Baptiste... parce qu'on savait que si on attendait plus longtemps, on continuerait à s'ostiner pendant les quatre jours sans aller nulle part.

Nous nous sommes donc retrouvés à l'auberge du Balcon Bleu, une jolie auberge de jeunesse, et le seul endroit où il y avait encore des places de libres et dont le prix pouvait convenir à Yves. Dès notre arrivée, nous rencontrâmes un Jésus-Christ à lunettes qui était tout à fait absorbé à passer un râteau dans un tas de garnottes. Flu a eu le malheur de lui faire un signe de « peace » et ils se sont mis à parler en zen. Alors on les a laissés.

À quelques sandales de là, une Marie-Madeleine offrait à frère Soleil des grands bouts de son costume d'Ève. Éric était trop absorbé à être bouche bée quand Phil prit l'initiative de joindre sa blafarde carcasse à l'offrande et de jaser avec la fille, une Raëlienne qui, sans être d'une parfaite beauté autre qu'intérieure, avait l'avantage d'être la seule à se faire les jambes sur tout le campement.

Gue fut tout naturellement attiré par le coin le plus actif du campement : la ligue shivaïste de volley-ball nu-pieds, à laquelle il manquait justement un membre...

Éric, Yves et moi étions sur le perron de notre shack quand un animateur du genre scout attardé nous a proposé, si on n'avait rien à faire, de participer à son atelier d'impro. J'ai répondu qu'on ne faisait rien parce que c'est ça que nous voulions faire mais nous finîmes par céder à Écureuil Enthousiaste après son 200e « Enwoyez donc, les gars ! »

Il y avait là la panoplie complète des porteurs de laine de lama, des barbus et des pas rasées. La séance commença par un grand *oummmmmmm* tibétain, puis il fallut former un cercle et, tour à tour, aller au milieu se mettre mou mou comme de la guenille en se fermant les yeux pour se faire tendrement « transporter » par le groupe. L'exercice avait beau être du plus haut ridicule, nous profitâmes quand même du stage d'une belle granole et de son t-shirt en luzerne pas de brassière. Ensuite, nous devions mimer l'animal qui nous représente. Mais, pendant que Yves essayait de faire le cri d'une girafe, je me rendis compte que je n'avais pas du tout envie d'apprivoiser tout ce zoo d'imbéciles. Je prétextai un besoin de la nature pour, rusé comme le renard qu'ils auraient tous dû comprendre que j'étais, m'enfuir.

Je croisai alors Flu qui passait maintenant le râteau en bobettes avec Jésus, Phil qui essayait de convaincre sa Raë-lienne qu'il était justement un envoyé des extra-terrestres (il avait fait la gaffe de dire que c'était les Clingons), Gue qui se battait avec les Shivaïstes parce qu'il voulait garder ses Nikes. Soudain, l'évidence me frappa : nous étions dans un Waco made in Québec ! Une espèce de centre multi-sectes reculé dans le Bas-du-Fleuve ! Il fallait que je sauve mes amis !

J'ai donc paqueté un des chars et je suis parti à full pine, les fenêtres ouvertes en criant comme le perdu que j'allais devenir si je restais là. Mes amis eurent tôt fait de se lancer à ma poursuite. Je les laissai me rattraper assez loin pour être sûr qu'on ne retourne pas au Balcon Bleu.

Voilà pourquoi nous avons passé le reste de la fin de semaine dans un motel au Mont-Sainte-Anne à louer des vidéos et à jouer au frisbee dans la piscine. Un conseil: si vous avez un jour à camper dans une auberge de granos, demandez la section pour catholiques non pratiquants.

Les danseuses

Phil en avait assez des jeux de snerds et de smomounes. Là, il faut que je vous explique que moi pis ma gang, on a tellement rien à faire qu'on s'est inventé une espèce de langage secret. Quand on veut donner plus d'importance à un mot, on ajoute le son «s» au début, comme une hyper abréviation de «super». Quelqu'un de très en maudit est en «smaudit». Phil était en stabarnak.

Phil en avait assez qu'on fasse des jeux de société ou des activités de plein air. Il voulait qu'on aille aux danseuses. Flu proposa les Grands Ballets, mais vous vous en doutez bien, Phil pensait plutôt à la troupe du folichon Sex-O-Bar. Moi j'étais plutôt sd'accord, je me disais qu'il fallait au moins que j'y aille une fois, pour voir ce que c'est... Gue ne nous a pas formulé son opinion sur la question puisqu'il était trop occupé à baver par terre en roulant des yeux, mais nous avons conclu qu'il ne s'y opposait pas. Éric trouvait la perspective intéressante car il pourrait enfin vérifier la valeur de ses connaissances théoriques sur la morphologie de la femme. Il n'y avait que Flu, féministe radical, et Yves, qui disait que ça coûterait trop cher, qui s'y opposaient. Et c'était eux qui avaient des chars, cette fin de semaine-là...

Je leur expliquai que, tout comme il y a des articles dans *Playboy*, il y a un buffet chaud aux topless pour le même prix. En plus, les filles sont souvent des étudiantes qui font ce travail sur une base tout à fait volontaire pour payer leurs études. Donc les faire danser nues profite à l'avancement de la femme dans la société. Yves, lui, me demanda simplement de payer son entrée et accepta, à cause du buffet.

En entrant dans le temple, ce fut un choc. Éric était très gêné parce que, dit-il, « les madames sont tout nues pour vrai ». Moi aussi, j'étais gêné parce qu'il y avait des filles qui me reconnaissaient... Phil, lui, bougeait sa tête avec une telle rapidité qu'on entendait des « swoosh » comme dans un Bruce Lee. Yves se dirigea vers le buffet où il se remplit toute une assiettée de rosbeef (pas parce qu'il aime ça : parce que c'est ça qui vaut le plus cher). Flu, l'extra-terrestre, engagea une grande conversation sur les cendriers avec la seule fille habillée : la busboy.

« O.K. messieurs, gentlemen, maintenant sur scène, now on stage, la ravissante, the ravishing Swindie... Et ne forgettez pas : toutes ces demoiselles dansent à votre table upon request... » Je me suis toujours demandé pourquoi les M.C. de bars topless tentaient tous de réussir le croisement vocal entre Barry White et le gars des courses à Blue Bonnet's. Nous avions perdu Gue de vue, mais nous pûmes aisément le retrouver en suivant les traces de bave. Il était sur le bord de la scène et essayait d'hypnotiser Swindie. L'ayant remarqué, la facétieuse Swindie lui déposa son soutien-gorge autour du cou. Gue se mit alors à sauter dans toutes les directions avec une énergie telle qu'on croyait qu'il y avait plein de Gue partout, comme quand Daffy Duck s'énerve. C'était très spectaculaire, même qu'un Japonais de passage a applaudi.

Éric s'était dégêné et faisait danser Wendina à sa table. Il lui demanda si c'était son vrai nom et elle lui répondit que bien sûr. Elle lui dit aussi qu'elle faisait ça pour payer ses études en astrophysique. Éric lui parla alors de son projet personnel d'envoyer une sonde sur un mont de Vénus. Elle comprit mal le sens de cette remarque et s'en alla en plein milieu de la toune, sans éteindre les petites lumières sous son tabouret. Yves, pendant ce temps, avait lâchement profité par-derrière du cinq piasses de son camarade.

Éric partit à la recherche de sa scientifique dulcinée pour lui offrir, entre autres, ses excuses. Phil me demanda de l'attacher après sa chaise avec les manches de sa chemise. Il faut dire que nous n'étions pas dans un de ces endroits mal famés de danses à dix. Nous étions dans une galerie d'art où nous n'avions pas le droit de toucher, attendant sagement que la Cour suprême se prononce enfin sur la légalité des autres places.

Gue n'avait hélas pas compris cette règle et, lorsqu'il eut fini de rebondir, se précipita sur le stage pour danser le slow avec Swendina. Celle-ci prit peur et lui lança sa couverture en simili ours. Un gars saoul prit alors Gue pour un vrai ours et tenta de l'assommer. Il faut dire que, même sans costume, Gue est assez plantigrade.

C'est à ce moment qu'un vrai ours se manifesta. Le bouncer. Ou plutôt, le sbouncer. Il nous pitcha dehors l'un après l'autre, ce qui frustra particulièrement Yves, qui n'avait pas fini son rosbeef, et Phil, encore attaché sur sa chaise. Le seul à s'en tirer fut Flu, qui travaille maintenant au bar comme busboy. Pour payer ses études...

Le rafting

Une bonne fin de semaine, Gue nous avait tellement achalés pour faire quelque chose d'aventureux qu'on a fini par céder. D'abord, il voulait essayer le saut en parachute mais Yves a dit que c'était trop cher et Phil a crié que « ah oui, c'est vrai, Yves a raison, c'est vraiment trop cher ! » sans avoir aucune notion du prix mais en se souvenant qu'il avait déjà eu le vertige dans les montagnes russes du Monde des petits, à La

Ronde. Alors Flu a proposé de faire une descente de rapides en radeau pneumatique (en français moins Université de Montréal, du rafting).

D'ailleurs Flu, en bon Daniel Boone moderne, connaissait un endroit sur la rivière Rouge où il y avait de beaux rapides à cause de la faille de Rawdon. Gue a demandé la faille de qui et je lui ai dit qu'elle était ben cute, alors il a embarqué. Nous dûmes rassurer Phil sur le fait que le nom de la rivière Rouge ne voulait pas dire que c'était une piste d'experts. Après, on s'est un peu chicanés parce que Flu voulait qu'on prenne des canots en écorce, comme les vrais coureurs des bois, mais Yves nous a rappelé que ça coûterait plus cher d'assurances.

Pour faire plaisir à Flu, on a quand même loué le seul canot qui était beige. Sauf qu'Éric a voulu expérimenter comment le canot réagirait s'il était gonflé à l'hélium et, après avoir passé une heure à téter la bombonne pour parler comme François Pérusse, nous avons gonflé le canot qui est aussitôt parti faire de la chasse-galerie sans nous.

Enfin dans un canot normal, Éric, Flu, Gue, Yves et moi ramions avec un bel enthousiasme. Sauf Phil, assis au milieu, qui tenait la rame de spare à deux mains, à défaut de courage. Flu nous expliqua que chaque petite dénivellation était un «seuil». Le premier étant particulièrement fif, j'ai dit que c'était le seuil de la pauvreté, ce qui me valut un coup de rame derrière mon casque de vélo de rivière. À noter : ne pas se placer devant si vous aimez faire des jeux de mots.

Un grand remous se faisait entendre vers l'aval. Vous auriez dû voir Flu essayer d'expliquer à Gue la différence entre l'amont et l'aval d'une rivière. Lui, il avait compris que nous allions vers la ville de Laval (et le pire, c'est qu'il avait raison), mais il ne connaissait pas du tout la ville de Lamont. Le temps d'expliquer que Laval a beau s'appeler Laval, elle est en amont de Québec, nous étions déjà en plein dans le grand remous. Éric précisa qu'il s'agissait d'un maelström. Nous, on se sacrait d'enrichir notre vocabulaire avant de mourir.

Le radeau fut d'abord projeté vers l'avant par une espèce de coup de pied sous-marin qui fit que Phil pitcha sa rame de spare dans les airs. Puis, butant à une barre de vagues, nous retournâmes vers l'amont du remous, à rebrousse-maelström, juste à temps pour que Phil rattrape habilement sa rame avec son œil.

Ce processus se répéta et, chaque fois, le radeau s'emplissait d'eau. Un à un, nous avons sauté à l'eau pour quitter cette étourdissante laundromat et rejoindre la rive, presque noyés. Il ne restait plus que Phil avec sa rame cassée. Il regardait le fond et balbutiait une prière qu'il nous jura être un claquement de dents à cause de l'eau froide. C'est là que le radeau, rempli d'eau, fut enfin trop lourd pour le courant de retour de ce cycle de rinçage et qu'il passa lourdement le seuil.

Phil se leva en arrivant près de nous et cria : « J'ai gagné ! J'ai gagné ! » alors qu'il n'y avait aucune espèce de concours et qu'il était resté dans le radeau juste parce qu'il était trop peureux pour sauter. Il n'y a rien qui m'énerve plus que ça. Le genre de gars que, quand il était petit, partait la tag au moment le plus incongru, gueulait « Tag ! » en donnant une grosse tape dans le dos d'un gars qui ne s'y attendait pas et partait à courir en riant comme un malade. Le genre qui faisait semblant de péter juste pour mettre ses anti-pets en premier et faire manger le pet à celui qui ne comprenait pas ce qui lui arrivait. Sournois. Le genre qui invente un concours juste au moment où il vient déjà de le gagner. Cette attitude est mal appropriée à la pratique du rafting puisque, à cause de ça, une grande bataille à coups de rames s'ensuivit.

La guerre

Une fois, moi pis ma gang on s'est rappelé comment on avait du fun à jouer à la guerre quand on était petits. Bien sûr, le rationnel adulte qui pointait tout de même son nez dans nos cervelles d'adolescents (quelle image horrible!) nous empêchait désormais de nous contenter de jouer à coup de «pow pow t'es mort sinon j'joue pus!» Pour s'amuser, les grands ont besoin de règles. Quand tu es petit, des fois, tu décides de mourir parce que c'est cool. Tu te jettes sur le gazon en gémissant, la main sur le cœur, et tu gigotes un peu, comme dans les films. Ça ne fait de mal à personne et ça fait de belles annonces de Tide. Mais à mesure que tu grandis, il te faut des preuves. «Comment ça, je suis mort? Tu m'as manqué!»

C'est pourquoi nous avons décidé de participer à un de ces jeux de guerre aux fusils à peinture. Cependant, ces «fusils à peinture» ne sont pas des fusils à eau qu'on aurait remplis de peinture pour faire plus heavy. Ce sont des pistolets à air comprimé qui projettent des balles de peinture de la grosseur des gommes ballounes à cinq cennes qu'on trouve dans les distributrices de centre commerciaux. C'est d'ailleurs à s'y méprendre: demandez à Gue qui a craché orange pendant deux semaines...

Ces balles, en pétant gentiment sur vous, indiquent que vous êtes théoriquement mort, ce qui vous donne pratiquement l'impression que c'est vrai tellement ça pince. Le cas échéant («Mets-en!» dirait Gue), on doit traverser le champ de bataille les mains en l'air en criant «mort» sans arrêt, jusqu'à la sortie des morts, où on se retrouve sain et sauf. À noter: conformément à la convention internationale de Saint-Meu, il est strictement interdit de tuer un mort.

La guerre oppose deux camps qui doivent réaliser des missions très complexes du genre «aller chercher un drapeau et tuer tout le monde». Pour se faire, nous devions nous déguiser en cosmonautes pour notre plus complet désagrément et notre plus partielle sécurité. Le jeu se déroulait dans une espèce d'étable rafistolée avec un paquet d'obstacles saugrenus découpés dans du presswood peinturé en noir pour faire lugubre. Il y avait aussi des spots, des stroboscopes et des haut-parleurs qui crachaient du heavy métal pour faire plus réaliste... et une équipe adverse composée de maniaques qui passent toutes leurs fins de semaines là.

Après quatre missions au cours desquelles nous avions dépensé une fortune en munitions pour transformer le hangar en un immense Riopelle, nous en avons eu assez de ne rien voir dans la buée de nos lunettes de protection et on a décidé que ce jeu était vraiment trop bébé pour nous. Surtout qu'on perdait tout le temps. Éric a alors proposé que nous jouions à la guerre mais proprement, planqués comme des généraux: avec un jeu de Diplomatie.

Le but du jeu est de devenir maître de l'Europe telle qu'elle était lors de la guerre de 14-18. On indique ses mouvements de troupes sur un bout de papier à chaque saison et on guerroie après chaque ronde de pourparlers. Chaque ville conquise donne droit à une nouvelle armée. Pour conquérir une ville, il faut simplement y envoyer plus de troupes que la défense. Pour y parvenir, il faut signer des alliances et les trahir au bon moment. Excellent pour l'esprit de gang...

Flu a voulu l'Autriche-Hongrie parce que les pions sont rouges et que c'est une couleur de winner. Phil a choisi l'Allemagne parce qu'il trouve ça comique de parler avec l'accent allemand. Éric a pris la Russie parce que, statistiquement, c'est le pays qui offre le plus de possibilités. Gue a pris la France parce que Phil lui a dit que c'était facile, Yves a pris l'Angleterre parce que c'est une île et qu'on allait probablement le laisser tranquille et moi j'ai pris la Turquie parce que c'était proche de moi sur la table.

1914. Yves lance une flotte en mer du Nord et Gue échappe une pointe de pizza en Espagne. Phil a pris une heure pour nous expliquer que son attaque sur la Hollande, il ne l'avait pas rayée de son papier mais bien soulignée dans le milieu. Moi, j'ai attaqué la Russie et la Russie m'a attaqué. Yves était bougon parce qu'il venait d'envahir l'Irlande pour se rendre compte qu'il n'y avait pas de ville là et qu'il perdait une armée. Flu a tourné en rond dans son propre pays, ce qui est aussi original qu'inutile mais ça lui va bien. La Turquie et la Russie ont ensuite signé un traité historique stipulant, et je cite : « d'arrêter de se gosser dans la mer Noire ». Phil a pris tout le monde à part dans les toilettes pour leur dire que « le Reich né fous attaquera chamais si fous lé laissez tranquille ! » Yves a parlé à Gue pour lui dire qu'il lui laissait l'Italie, malgré que lui-même n'avait aucun moyen de la prendre à sa place et cet imbécile a marché.

1915. Les forces de Von Phil et de l'archiduc de Flu se disputent l'Italie, le vainqueur pouvant se proclamer pape. La Turquie et l'empire austro-hongrois entament une âpre lutte pour les Balkans, mieux connue sous le nom de « Guerre de deux heures trente ». Le tsar Éric s'empare de la Suède, tout excité. Yves obtient la permission du général De Gue pour débarquer à Brest mais « pas pour longtemps ». Phil prétend que « les Allémands fiennent t'infenter l'afion » et se parachute à Moscou, geste refusé par Éric le Grand qui a le livre des règlements.

1916. Les Autrichiens galeux étant en déroute, Flu met son dernier pion sur l'Islande, qui n'a même pas de villes, et se déclare neutre. Le tsar prend peur devant la puissance soudaine de Mustapha Kemal Attaboy et brise le pacte de non-gossage russo-turc en tentant d'envahir Constantinople mais je prévois le coup parce que je l'avais lu sur son papier.

Il dit que ce n'est pas juste mais je lui réponds que l'espionnage, ça existe. Phil n'arrête pas de dire que «c'est la guerre, fraülein!» en se frottant les mains mais il se fait manger Berlin par la Russie. La France constate avec stupéfaction que l'armée anglaise marchera bientôt sur Paris et provoque Lord Yves en duel dans le salon par cette déclaration: «M'as te casser la yeule!»

C'est à ce moment que se produisit l'hécatombe: les Islandais inventent soudain la bombe atomique et détruisent toutes les villes d'Europe en renversant de la bière sur le jeu, créant un raz-de-marée au large de la Belgique. Depuis, sur la carte d'Éric, ça sent vraiment la bière de Londres à Berlin... Et nous, on n'a jamais pu finir la guerre parce que la chicane a pogné.

Les résolutions

Comme les parents de Phil sont toujours en Floride l'hiver, Phil dispose d'un temple parfait pour célébrer le jour de l'An. De plus, dans une manœuvre sournoise pour voir nos rares amies filles en robe, il a décidé que le nouvel an se fêterait chic'n'swell. Comme peu d'entre nous sommes accoutumés au port du complet, le bol de punch devient rapidement un espèce de gros dip à cravate. Chacun doit apporter un plat de sa spécialité culinaire, même si on trouve un peu injuste que Yves le cheap soit toujours responsable des carrés aux Rice Krispies. Flu amène encore son charmant pâté aux algues qui se mange tout seul, par Flu, dans un coin parce que ça pue.

Et après le *Bye Bye* qu'on enterre d'un bout à l'autre avec nos propres jokes et les embrassades d'usage sur le coup de minuit où tous prennent un malin plaisir à souhaiter du succès dans ses nombreuses études à Éric, nous entonnons le minuit chrétien. Je sais bien que c'est une toune de Noël mais c'est surtout une toune de gars chauds. Et, à cette étape de la soirée, c'est tout à fait une toune pour nous.

Ensuite, d'habitude, on danse, on boit et on placote jusqu'aux petites heures du matin, à moins qu'on ne décide de jouer au scrabble ou à Diplomatie et de finir par se battre. Mais, une année, Phil nous a tous surpris en interrompant la cérémonie pour prendre publiquement une grande résolution : il avait décidé d'arrêter de boire.

En fait, Phil n'était pas vraiment alcoolique quand il est entré dans les A.A. Tout le monde savait qu'il le faisait surtout pour cruiser une fille qui était membre. Mais il a continué à ne pas boire juste pour que ça ne paraisse pas. Toute la gang était là lorsqu'il a reçu son gâteau au bout de six mois, étape importante pour tout ancien alcoolique ou sympathisant. Nous lui avions même fait faire un gâteau pour souligner l'événement et dessus on avait fait écrire : «Joyeux gâteau!» Pour l'encourager, un autre ami, fumeur invétéré, avait pris la résolution de ne fumer que quand il sortirait pour prendre un verre. Six mois plus tard, il rejoignait Phil chez les A.A.

Depuis ce temps, chacun de nous doit également y aller de sa résolution. Elle peut être ridiculement facile à tenir, mais nous devons absolument la respecter pour toute l'année qui suit. Sinon, il faut subir une punition et, dans ce cas, c'est la gang qui décide.

Ainsi, Éric a promis qu'il mangerait des légumes au moins une fois sinon il devrait abandonner le macaroni Kraft et Yves s'est engagé à ne plus ramasser les cennes noires dans les fontaines de centre commerciaux sinon il devait acheter le magazine *L'Itinéraire* chaque fois qu'un itinérant le lui proposerait. (En fait, il s'est contenté pendant un an de ne se mouiller que pour cinq cennes minimum.)

Moi, j'ai juré que je n'irais pas en voyage au Mozambique. Si j'échouais, je devais fonder les Alleurs au Mozambique Anonymes et y consacrer toute mon année.

Ce n'est pas grand-chose mais ça fait du bien de savoir que je peux tenir une résolution. Je fume, je bois, je mange mal et je ne fais pas d'exercice, mais il me suffit de me tenir bien loin du Mozambique pour avoir l'impression d'être un homme de principes. C'est un excellent truc, mais je crois que cette année je vais plutôt choisir de ne pas aller en Corée du Sud. C'est que le Mozambique commence vraiment à me tenter...

Quant à savoir si nous prendrons un jour la résolution de devenir des adultes, j'en doute fort. La plupart du temps pigistes et précaires, au travail comme en amour, la majorité d'entre nous n'arrive pas à voir plus loin que le bout de son mois. Alors, tant qu'à être pris dans une jungle, aussi bien faire les singes...

Remerciements

Je tiens à remercier tous mes amis de la gang : Yves Desrosiers, Alain Florent, Gaëtan et Philippe Laguë, Éric Nellis ainsi que Jean-Bernard Laguë et Pierre Lavoie qui ont été coupés au montage.

FRANÇOIS PARENTEAU

Table